KB178216

나만의 **누룩**을 찾아서

자기 누룩 없으면 양조장도 만들지 마라

나만의 누룩을 찾아서

발 행 | 2023년 06월 09일

저 자 | 김혁래

펴낸이 | 한건희

펴낸곳 | 주식회사 부크크

출판사등록 | 2014.07.15(제2014-16호)

주 소 | 서울특별시 금천구 가산디지털1로 119 SK트윈타워 A동 305호

전 화 | 1670-8316

이메일 | info@bookk.co.kr

ISBN | 979-11-410-3125-1

www.bookk.co.kr

나만의 **누룩**을 찾아서

자기 누룩 없으면 양조장도 만들지 마라

김혁래 지음

술은 어떤 원리로 만들어지는가?
좋은 술이란 어떤 술인가?
나는 어떤 술을 만들고 싶은가?

한국
가양주연구소
류인수 소장
강력 추천!

차 례

추천사

무협지 같이 써 내려간 '나만의 누룩을 찾아서'.

누가 이런 책을 쓸 수 있을까요.

대부분의 책은 성공을 이야기하지만 이 책은 실패를 이야기 합니다. 마치 집 안방을 공개하듯 실패를 극복하기 위해서 어떤 노력을 했는지, 누구를 찾아 떠났는지 그 모든 경험을 엮은 것이 김혁래 작가님의 '나만의 누룩을 찾아서'입니다.

책에서는 술을 바둑에 비유한 내용이 나옵니다. '술 18급', 참 재미난 비유입니다. 아마도 술을 처음 시작하는 사람들은 바둑의 고수처럼 맛있는 술을 빚고 싶을 것입니다. 그러나 고수는 오랜 시간 술을 빚었다고 고수가 되는 것이 아니라 실수를 줄이는 사람이 고수가 되는 것입니다.

술은 오랜 시간 술을 빚었다고 해서 더 맛있는 술이 되는 것은 아닙니다. 처음 술을 빚는 사람도 좋은 레시피를 가지고 있으면 맛있는 술을 빚을 수 있습니다. 그렇지만 술이 잘 못 됐을 때 원인을 알지 못하면 더 많은 실패를 경험하게 되고 대부분의 사람들은 나만의 술을 갖는 것을 포기하게 됩니다.

이 책은 새롭게 술을 시작하는 모든 분들에게 길잡이 역할을 해 줄 것입니다. '나만의 누룩, 나만의 술을 가질 수 있다'는 희망을 안겨 줄 것입니다.

무협지같이 집을 떠나 술의 고수가 되어 돌아오는 여정을 다 함께 즐겨 보시죠.

2023. 05. 30

한국가양주연구소장 류인수

책을 쓴 이유

'부의주, 3/8(화) 2~3일쯤 아침저녁'

2015년은 개인적으로 매우 고달픈 한 해였습니다.

2년 정도 혼신을 기울였던 프로젝트가 실패를 했고, 다니던 회사는 당시 한 수 아래라 생각했던 회사에 매각이 되었습니다. 동료들은 바뀐 상황에 당황했고 화를 냈으며 마침내 태어나서 한 번도 해 보지 않았을 것 같은 데모를 시작했습니다.

20년을 늘 일이 많아 힘들었고 어떻게 하면 일을 좀 줄일 수 있을까 고민했는데, 막상 일이 없어지고 나니 일이 없는 고통은 일이 많은 고통에 비할 바 아니었습니다. 출근은 했지만 동료들은 밖에 있고 팀장 몇이 앉아 필요한 일들을 했지만 어찌 일이 될 수 있었겠습니까. 그리고 그때는 시간이 어찌도 더디게 가던지. 하루하루 정신적으로 지쳐갈 무렵 우연히 버스를 타고 가다 현수막을 하나 보게 되었습니다.

"우리 막걸리 만들어 보지 않을래요?"

뭔가 전환이 필요한 시기라는 생각도 있었고, 또 술이란 회식에 필요한 도구라는 단순한 개념 밖에 없던 내게 술을 만들어 먹는다는 얘기는, 그게 가능할까 또는 그 맛은 어떨까라는 강력한 호기심을 일으켰습니다. 그렇게 해서 찾아간 곳이 분당 진향우리술교육원 (현 발효곳간 담).

수업 진행은 비교적 단순 했습니다. 막걸리 과정, 약주 과정으로 구성되어 있었고, 하루에 한 가지씩 정해진 술을 만들면서 고두밥이 익거나 식는 도중에 술의 특징, 레시피의 의미 및 관련 이론을 듣는 식이었습니다. 2016년 3월 8일은 그 첫 번째 술을 빚은 날이고, 쌀 알이 동동 뜬다는 부의주 입니다. 뒤쪽에 '2~3일쯤 아침저녁' 이라고 쓴 건 아침 저녁으로 한 번씩 저어 주라는 말 같은데, 자리가 없어서인지 쓰

다 만 게 되었습니다. 그래도 말의 느낌이 좋습니다. '2~3일쯤 아침저녁'

이렇게 내 술에 대한 긴 여정에 첫 발을 디뎠습니다.

2022년 궁중술빚기대회 금상

아쉽게 내 생에 첫 번째 술 맛은 기억나지 않지만, 뭐에 홀린 듯 우리술에 빠져들 었습니다. 16년 말 한국가양주연구소 우리술과정 24기로 출발해 18년 Distiller Master Class(DMC)와 전통주 소믈리에 과정, 20년 발효아카데미 누룩학교, 21년 36 기로 우리술과정을 다시 듣고 마침내 22년 12기로 최고지도자 과정을 수료했습니 다. 그 사이 열두 번에 걸친 우리술 대회 도전, 두 번의 장려상 끝에 22년 마침내 궁중술빚기대회에서 금상을 받았습니다. (거꾸로 말하면 아홉 번 떨어졌다는.)

사법고시 붙은 것도 아니고 임원 승진도 아니지만, 금상을 받던 그날은 얼마나 기 쁘던지. 그러면서 그동안 고군분투했던 술 빚기 기억이 스쳐 지나갔습니다. 돌아오 는 지하철 안에서 어제와 같은 나지만 완전히 다른 내가 된 것 같은 느낌이 들었습 니다. 그리고 여태까지 경험을 정리해 보고 싶은 생각이 들었습니다. 마치 더 먼 길 을 떠나기 위해 딱 필요한 짐만 꾸리는 것처럼.

질문에 스스로 답하는 책

윌리엄 진서(1922~2015) 선생님 충고도 책을 쓰는데 도움이 되었습니다. 그는 미국 작가, 편집자, 문학 평론가, 교사로서 <글쓰기 생각쓰기>라는 멋진 책을 써냈 습니다. 그 책에는 '누구를 위해 쓰는가'라는 질문이 있고, 근본적인 문제인 만큼 근 본적인 답이 있다 했습니다. 바로 '자신을 위해 쓴다'라고 말이죠. 2016년 초봄 우연 히 우리술 빚기 강좌 현수막을 보면서 시작된 나만의 술 찾기 여행이 벌써 8년째입 니다. 그동안 정말 많은 술들을 빚어보고 그만큼의 실패와 좌절을 겪으면서 많은 생 각을 했습니다.

술은 어떤 원리로 만들어지는가?
좋은 술이란 어떤 술인가?
나는 어떤 술을 만들고 싶은가?

이 책은 그런 질문에 스스로 답하는 책입니다. 그리고 그 답의 중심에 나만의 누룩이 있습니다. (다행히 18년부터 쓰기 시작한 블로그가 큰 힘이 되었습니다.) 하루가 다르게 새로운 술이 출시되고 우리 술을 직접 빚어 먹으려는 이들이 많아지고 있습니다. 유튜브 몇 번만 검색하면 우리술 빚는 방법과 콘텐츠가 넘쳐나지만, 사실 그냥 저냥 만들기는 쉬워도 마음에 드는 자신만의 술은 글쎄다 입니다. 나와 같은 고민을 하는 수많은 우리술 빚는 이들에게 내 실패와 경험이 도움이 되리라 확신합니다.

> 이런 분께 추천 드립니다.
>
> - 한두 번 빚어 봤지만 다음에 뭘 해야 할지 모르는 분
> - 다른 사람은 어떻게 술을 빚고 있는지 궁금한 분
> - 세상에 없는 나만의 술을 갖고 싶은 분
> - 더욱이, 세상에 없는 나만의 누룩을 갖고 싶은 분

책의 구성

곧장 누룩 이야기로 시작해도 되지만, 우리술에 대해 어느 정도 이해하고 보면 더욱 좋을 것입니다. 1~2부는 전반적인 우리술 이해를 위한 것입니다. 1부에선 우리술을 직접 빚어보고, 술 빚기에 필요한 최소한의 것들을 정리해 봅니다. 특히 아파트에서 술 빚을 때 필요한 재료나 도구, 그리고 제가 직접 밟아온 술 빚는 과정(이력)을 처음 글들로 배치해 우리술 빚기 문턱을 낮추는데 주력했습니다. 2부에선 우리술 기본 재료인, 쌀, 물, 누룩에 대해 생각해 봅니다. 각 재료가 가진 특징을 알아야 본격적인 술 빚기가 가능합니다. 그러면서 진짜 누룩 이야기가 시작됩니다.

3~4부가 이 책의 하이라이트 입니다. 누가 그러던 가요? 삶은 가까이서 보면 비극이지만 멀리서 보면 희극이라고. 나만의 누룩을 찾기 위한 고군분투가 유쾌하게(?) 그려질 것입니다. 다양한 누룩을 접해보고 어떤 누룩과 방식이 나와 맞는지 살펴봤습니다. 책을 보다 보면 나도 누룩을 한 번 만들어 볼까 이런 생각이 들 겁니다.

5부는 나만의 누룩에 어울리는 내 술의 색, 맛, 향을 찾는 과정입니다. 누룩이 중요하다 하지만 술로 이어지지 않으면 장식품일 뿐입니다. 처음에는 내 누룩을 이용해 나만의 술을 빚었다는데 감격했지만, 차츰 내가 만든 술은 어떤 색과 맛과 향을 가지면 좋을까 하는 생각이 들었습니다. 막연히 좋은 술 보다는 술 색, 맛, 향 관점에서 구분해 보면 좀 더 선명하게 우리술이 보이리라 믿습니다.

이따금 글 사이 '※참고하기', 그리고 긴 글이 넘어갈 때마다 '▶우리술대회 출전기'가 포함되어 있습니다. 참고하기는 말 그대로 꼭 알려드리고 싶은 중요한 사항을 별도 글로 떼 내어 적은 것이고, 우리술대회 출전기는 수년 간 제가 참가했던 여러 우리술대회 경험을 정리한 것입니다. 다른 사람들은 내 술을 어떻게 평가할까 하는 막연한 생각에 시작됐던 우리술대회 출전이 저를 어떻게 성장시켰는지 생생하게 느낄 수 있으니 기대하셔도 좋겠습니다.

일러 두기

|

우선 이 책은 (당연히 그럴 능력도 안되지만) 우리술 레시피나 술 빚기 과정을 세세히 알려주지 않습니다. 한국가양주연구소, 한국전통주연구소, 막걸리학교 등 우리술 빚기 정규 과정을 듣고 보면 제일 좋고, 혹 그럴 사정이 안되면 최소한 류인수 소장님께서 지으신 <한국 전통주 교과서> 정도는 옆에 두고 참고하면 좋겠습니다.

그 밖에 백세니 채주니 양조 용어는 모두 가급적 쉬운 말로 풀어 쓰려고 노력했습니다. 그런데 한가지, 우리가 자주 쓰는 전통주라는 말은 좀 낡은 느낌이 듭니다. 한국술이라 하는 사람도 있고 우리술이라 하는 이도 있는데 난 우리술이라 부르기로 했습니다. 중요한 건 아니지만, 제 책은 평어체를 사용합니다. 평소 말하는 대로 가급적 현장감을 살리는 방식으로 썼는데, 혹 무례하다 느끼는 분께서 계신다면 미리 양해를 구합니다.

마지막으로, 책을 내기 전 잘못된 부분이 없는지 나름 여러분들께 감수를 받았습니다. 그럼에도 불구하고 알고 있는 바와 다르다면 전적으로 제가 부족한 것입니다. 이따금 우리술 이야기를 듣다 보면, '이건 이런 거야' '저건 저렇게 해야 해' 딱 정답이 있는 것처럼 단정 짓는 분들이 계시는데, 한날 한시 같은 레시피로 빚어도 서로 맛이 다르고, 가양주라는 게 결국 우리 집 술이니 내 입맛에 맞는 술을 찾는 과정이다 너그럽게 봐주시면 어떨까 싶습니다. 또 그게 우리술의 묘미이기도 하고.

평소 좋아하는 J. 크리슈나무르티의 글귀로 시작할까 합니다.

"이제 자신에 관해 아는 것을 모두 잊으라. 자신에 관해 지금까지 가졌던 생각을 잊으라. 우리는 아무것도 모르는 것처럼 출발하려고 한다. 어젯밤에는 비가 몹시 내렸고, 지금은 개기 시작한다. 새롭고 신선한 날이다. 이 새로운 날이 마치 단 하루밖에 없는 것처럼 만나자. 어제의 기억은 모두 뒤에 남겨두고 함께 여행을 떠나자. 그리고 처음으로 우리 자신에 대해 이해하기 시작하자."

1부. 우리술 빚기 도전

  본격적으로 이야기를 풀어나가기 전에 우선 같이 술을 빚어보자. 금방 머리 속에 황금빛 영롱한 손수 빚은 맑은 술 한잔이 떠오르겠지만, 미안하지만 쌀을 먼저 씻어야 한다. 원하는 그 술은 지금 시작해도 최소 한 달은 지나야 맛을 볼 수 있다. (그나마도 기대하던 맛이 아닐 수 있다.) 그러니 좀 가볍게 시작하는 게 좋겠다. 일단 술 빚기가 손에 익어야 맛과 원리를 따질 만큼 여유가 생긴다.

우선, 우리술 한 잔 하시죠

술이 되는 원리

요한복음에 예수께서 가나 혼인잔치 때 물을 포도주로 바꾸는 기적을 행하셨지만, 2000년이 훨씬 지난 지금도 나는 술이 끓어오르는 모습을 보면 기적처럼 느껴진다.

술은 어떻게 만들어질까?

간단할 것 같은 이 질문은 17세기 현미경이 발명되고 나서도 한참 뒤인 1866년 루이 파스퇴르에 의해 밝혀졌다. 바로 효모(yeast)다. 효모는 태어나고 자라고 자식을 낳고 늙어 죽는 완전한 생명체 지만 너무 작아 눈에 보이지 않는다. (그래서 작을 '미(微)'자를 써서 작은 생물 즉, 미생물이다.) 효모가 왜 술, 즉 알코올을 만들어 내는지는 놀랍게도 확실치 않다. 가장 신빙성 있는 주장은 식품 공학자 최낙언 님 의견이다.

"효모는 왜 미토콘드리아를 늘리는 쪽으로 진화하지 않고, 다량의 알코올을 만들고 거기에 견디는 쪽으로 진화한 것일까? 사실 알코올은 미생물을 죽이는 강력한 살균제다. 알코올이 5%만 넘어도 많은 세균의 증식이 억제되고 70%로 희석한 알코올은 가장 유용한 살균제의 하나이다. 효모는 포도당을 빠른 속도로 분해하여 알코올을 만들고, 그 알코올로 다른 세균을 억제하고, 자신은 높은 농도의 알코올을 견디는 능력을 키워서 영양분을 독점하는 전략을 사용한 것이라고 해석할 수 있는 것이다."[1]

효모의 전략은 유용하지만 자기 자신에게도 치명적이다. 실제로 발효주로 낼 수 있는 최고 알코올 도수는 이론상 25도가 한계인데, 자기가 만든 알코올에 자기가 못 견디는 까닭이다. 따라서 이런 전략은 먹고 살기 좋을 때 쓰는 게 아니라 정말 살기 힘들 때 써야 한다. 얼마나 힘들 때냐고? 놀라지 마시길. 숨 쉴 산소가 없는 환경이다. (다행이 효모는 산소가 없는 상태에서도 살 수 있다.)

정리하자면, 알코올은 효모가 산소가 없는 살기 힘든 상황에 (저만 먹고 살려고) 만들어 낸 부산물이다. 무작정 만들어낼 수도 없고 포도당이라는 먹이가 필요한데, 포도에서 발견되어 포도당이라 불리는 이것은 생명체 에너지원이다. 실제 포도에 매우 풍부하게 들어있는데, 우리가 포도를 짓이겨 통에 넣고 공기가 통하지 않게 그냥 닫아 두기만 해도 술이 되는 이유다. (그게 와인이다.)

포도 으깨기 @pixabay.com

우리 고문헌에도 포도를 이용한 술이 여럿 있지만 쌀이 주식이라 쌀을 이용한 술 빚기 문화가 발달했다. 와인처럼 쌀을 빻아 통에 넣어 두기만 해도 술이 되면 얼마나 좋겠냐마는, 아쉽게도 효모는 입이 작아 쌀처럼 조직이 치밀하고 큰 건 먹지를 못한다. 그래서 쌀의 전분 조직을 잘게 포도당 단위까지 잘라 주어야 하는데 이를 당화라 한다.

당화는 미생물이 아닌 효소라는 물질에 의해 이뤄지는데 대표적인 당화 효소가 우리 침 속에 들어있는 아밀라아제다. 우리가 밥을 입에 넣고 계속 씹으면 밥이 풀어지며 달아지는 이유다. 그래서 밥을 씹어 뱉어낸 후 닫아두면 술이 된다. 신카이 마코토 2016년 장편 애니메이션 <너의 이름은>에는 마츠하라는 여자 주인공이 이런 식으로 술을 만든다. '쿠치카미자케'라 는데, 번역하면 '씹는 술'이다. ('미인주'라고

도 불린다.)

열심히 밥을 씹어 술을 만들어 먹을 수도 있겠지만, 다행이 우리에게는 누룩이 있다. 누룩은 다양한 효소와 효모의 보고다. 포도를 으깨 와인을 만들 듯, 고두밥을 지어 물을 붓고 누룩을 섞은 다음 막아 두면 우리술이 만들어진다. 그래서 우리 술 주재료를 쌀, 물, 누룩이라 하는 것이다.

지금까지 얘기한 술이 되는 원리를 정리하면 다음과 같다. (쌀 속 전분을 곰팡이가 만든 효소를 이용해 포도당으로 당화시키고, 이걸 효모가 먹고 발효시켜 알코올을 만들어 낸다.)

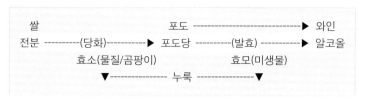

준비해 주세요

|

실제로 우리술을 만들어 보자. 삼키기 아까울 정도로 맛있다는 '석탄주(惜呑酒)'다. 석탄주, 석탄향, 황금주는 모두 같은 방법의 술인데, 술 빛에 따라 황금주로 불렸다가 널리 알려지면서 누군가 석탄주로 명명했다. 만드는 방법이 간단하지만 달고 부드러워 처음 술을 빚는 이들이 많이 도전하는 술이다.

몇 가지 준비물이 필요하다.

저울이나 주걱 등 구체적인 것들은 다음 글에서 말할 예정이니 지금은 그냥 집에 있는 것들로 간단히 시작해 보자. 우선 앞서 말한 쌀과 물과 누룩이 있어야 한다. 쌀은 두 가지가 필요한데, 멥쌀 가루와 찹쌀이다. 찹쌀은 동네 마트에서 사면되지만, 멥쌀은 가루를 내야 해서 인터넷에서 '습식 무염 멥쌀 가루'를 사서 쓰면 편하다. 물은 수돗물을 끓여 식혀 쓰거나 정수기 물 또는 생수를 사다 쓴다. 누룩은 인터넷에 검색해 보면 여러 브랜드가 있는데, 무난하기로는 송학곡자 소율곡을 많이 쓰는 것 같다.

얼마나 사야 할지는 아래 석탄주 레시피를 기반으로 집에서 한 번에 작업 가능한 양을 고려해 결정한다. (레시피 쓰는 법, 읽는 법은 다음 글 '참고하기'에 정리해 두었다.)

	쌀	물	누룩	가공방법
밑술	2	10	1.2	죽
덧술	10			찹쌀 고두밥
---	---	---	---	---
	12	10	총 술 양 22L (발효조 27L 이상)	
	1 :	0.8	누룩은 총 쌀 양의 10%	

아무래도 한 번에 10kg씩 고두밥을 짓기 어려울 것이다. 만약 집에 있는 찜기로 한번에 최대 2.5kg을 찔 수 있다면 이 양에 맞춰 비율대로 줄여 주면 된다.

	쌀	물	누룩	가공방법
밑술	0.5	2.5	0.3	죽
덧술	2.5			찹쌀 고두밥
---	---	---	---	---
	3	2.5	총 술 양 5.5L (발효조 7.2L 이상)	
	1 :	0.8	누룩은 총 쌀 양의 10%	

습식 무염 멥쌀 가루는 500g이 필요하고, 찹쌀은 2.5kg, 누룩은 300g 그리고 물 2.5L가 필요하다. 한 번에 많은 양을 구매할 경우, 쓰다 남은 쌀가루는 냉동실에 얼려 보관하다 녹여 쓰면 되고, 누룩은 완전히 밀봉해서 햇빛이 들지 않은 서늘한 곳에 두면 되는데, 너무 오래 두면 힘이 떨어지고 벌레가 생길 수 있으니 가급적 바로 사용하면 좋겠다. 참고로 누룩은 사용하기 몇일 전부터 햇볕에 넣어 냄새를 줄인 후 사용하면 술이 좋아진다. (법제라 하는데 매우 중요하니 기억해 두자.)

같이 빚어 볼까요

|

재료가 다 준비되었으면 같이 술을 빚어 보자. 그전에 한 가지 중요한 얘길 하나 하고 싶다. 해 보면 알겠지만 보기엔 쉬워 보여도 생각과 실제는 매우 다르다. 당장 어떤 용기를 써야 할지, 죽은 어떻게 만드는 건지, 집에 쌀은 있는지, 어디서 얼마나 씻을지, 채반이 있긴 한지, 고두밥과 먹는 밥은 또 어떻게 다른 건지…… 결정적으로, 내가 지금 잘하고 있는건지.

손보다 머리가 앞서 나가면 반드시 실패한다. 우리는 지금 살아있는 생물을 다루는 것이다. 그것도 눈에 보이지 않는. 따라서 경향 치는 있어도 정답은 없다. 정답이 없어 답답할 수 있겠지만 오히려 홀가분한 면이 있다. 편히 그냥 술이 만들어지는 과정에만 집중해 보자. (없으면 없는 대로 부족하면 부족한 대로)

술 빚기가 손에 익어야 자연스레 맛 차이가 느껴지고 원리가 궁금해 진다. 지금 다 얘기해줘도 알아들을 수도 없다. 일전에 우리나라 최고 전통주 선생이신 박록담 한국전통주연구소장님이 BTS 진, 백종원 님과 함께 술을 빚는 영상이 공개되었는데, 다음 말씀을 듣고 감탄한 적이 있다.

"할머니들한테서 이렇게만 하면 술 된다 하며 배웠는데, 안되면 물어볼 사람이 하나도 없는 거에요. 물어보면 그때 그때 말이 달라져. 안 가르쳐 줄라 그랬다 생각했단 말이죠. 그래서 10년을 헤맸어요. 나중에 술이 되는 방법을 알고 나니까, 이렇게 해주신 말도 맞고 저렇게 해준 말도 맞았던 거에요." "그게 뭐에요?" "계절이 바뀐 거에요. 술을 배웠을 때 하고 그걸 빚고 있을 때 하곤 계절이 바뀐 거에요."[2] 당장 궁금하겠지만 잠시 참고 같이 해 보자. 앞으로 깊은 얘길 할 시간은 많이 있을 것이다.

밑술 빚기

|

술 빚을 때 제일 먼저 해야할 일은 뭘까?

소독이다. 모든 용기와 도구는 끓여 쓰거나 소독용 알코올로 닦아 쓴다. 멥쌀 가루 500g을 적당한 그릇에 붓고 500ml 정도 물을 넣어 잘 풀어준다. 나머지 2L 물은 팔팔 끓이는데 완전히 끓으면 불을 낮추고 개 두었던 멥쌀가루물을 부어 죽을 쑨다. 이 때 깔끔이 주걱으로 잘 저어 밑이 타지 않도록 하는데, 혹시 탈 까 염려되면 불을 아주 낮추고 저어도 된다. 죽이 몽글몽글 터지면 끝난 것이니 뚜껑을 덮고 차가운 곳에 두어 완전히 식힌다. (그냥 밤새 밖에 두면 된다.)

쌀가루를 물로 풀고(왼쪽), 끓는 물에 넣어 죽을 쑨다(중간), 뜨거운 죽은 밤새 내 놓아 식힌다(오른쪽) (※사진은 편의상 재료 용량을 늘려 했습니다. 착오 없으시길.)

차갑게 식은 죽에 누룩 300g을 넣고 잘 섞어 준다. 맨 손을 쓰면 되는데, 섞기 전 소독(손 씻기) 잊지 말자. 다 섞은 후에는 한 톨이 아까우니 손에 묻은 게 없게 해 주고 면보를 씌워 집 안 햇볕이 들지않는 곳에 둔다. 혹시 집안이 너무 추우면 옷 등으로 싸주는게 좋다. 사용한 용기나 도구는 바로 씻는 버릇을 들이자. 술 빚기 반 이상이 설거지다.

식은 죽에 누룩 넣기(왼쪽), 잘 섞고 주변 닦아주기(중간), 면보 씌워 주기(오른쪽)

덧술 시기 결정하기

|

언제 덧술할 것인가는 우리술과정 중 가장 중요한 주제 중 하나다. (그만큼 쉽지 않다.) 아침 저녁으로 면보를 벗기고 주걱으로 힘차게 저어주면서 어떤 일이 일어나 는지 보자.

주걱으로 저어주는 건 두 가지 효과가 있다. 하나는 효소를 골고루 묻혀주는 것이 다. 효소는 물질로 생물이 아니다. 따라서 자기 힘으로 움직일 수 없으니 따로 잘 혼합해 줘야 한다. 다른 이유는 효모에게 신선한 산소를 불어넣어 주는 것이다. 효 모가 증가하면서 술이 스스로 섞이지만 아래쪽에 산소가 부족할 수 있다. 바닥에 가 라앉은 앙금이 없도록 아래부터 긁어주는 식으로 저어준다.

첫째 날(왼쪽), 둘째 날(중간), 셋째 날(오른쪽) (모두 저어준 후 찍은 모습)

< 자기 누룩 없으면 양조장도 만들지 마라 >

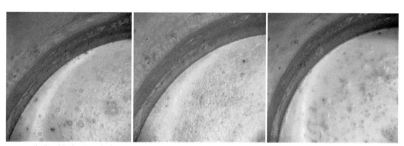

넷째 날(왼쪽), 저어주고 시간 지난 후(중간), 마지막 덧술 직전 저어준 후(오른쪽)

위 사진들의 가장 큰 차이점은 뭘까?

표면의 거품 정도다. 거품은 효모가 만들어낸 이산화탄소 때문에 생긴다. 효모는 서두에 자기만 살려고 알코올을 만들어 낸다고 했는데, 이 때 이산화탄소와 열이 함께 발생된다. 코를 대면 찡한 게 이산화탄소, 발효조가 따뜻해지는게 열 때문이다. 어쨌든, 거품이 많다는 건 효모가 열일 하고 있다는 증거다. 셋째 날 사진에 거품이 없어 보이는데, 없는게 아니라 당화가 그 만큼 진행되어 거품을 만들만큼 끈적이는 게 없어 그렇다. 자세히 보면 작은 기포가 쉴 새 없이 터지는게 보인다. 넷째 날은 폭발적으로 기포가 올라오면서 오히려 거품 층을 다시 만들었다. (※실제 밑술 양상은 가공 방법과 어떤 누룩을 사용했는가에 따라 다 다릅니다. 참고용으로만 보면 좋겠습니다.)

비록 눈에는 보이지 않지만 효모는 열심히 당분을 먹고 자식을 낳고있다. 효모 하나가 평균 24번 자식을 낳는데 그 주기가 2시간이다. 계산해 보면 첫번째 효모가 일생을 다하고 죽기 시작하는게 48시간부터인데, 2시간마다 두 배씩 증가하니까 첫번째 효모는 2의 24승 즉 16,777,216 마리로 늘어난다. (이런 걸 기하급수적이라고......)

덧술하기 가장 좋은 시점은 효모 수가 가장 많은 시점이다. 현미경으로 들여다 보면 제일 좋겠지만, 그냥 봐서는 이게 계속 증식 중인 상태인지 최고 시점인지 판단하기 쉽지 않다. 여러 번 술을 빚어 보며 관능 평가 능력을 키워야 하는 이유다. 눈, 코, 귀, 입 등 오감을 활용한 자세한 덧술 시기 판단 방법은 <한국 전통주 교과서>를 참고하고, 내 경우에는 끓는 모습이 충분히 잦아들고 밀기울이 모두 떠 오른 상태, 마치 아무 일도 없는 것처럼 보일 때 덧술한다. (이 시점을 정지기라 한다.)

덧술 하기

덧술은 고두밥을 준비하면서 시작된다. 찹쌀 2.5kg을 계량하여 깨끗이 씻어낸다. 이 때 주의할 게 밥을 할 때처럼 빡빡 문질러 대면 안된다. 쌀알이 최대한 깨지지 않도록 손을 쌀 사이에 넣어 한 쪽 방향으로 돌리면서 서로 부딪혀 자연스럽게 바깥쪽이 씻겨 혹은 깎여 나가도록 한다. (설명 하자니 복잡하게 보이는데, 관련 유튜브를 한 번 보면 금방 이해가 될 것이다.)

쌀이 어느 정도 씻겨지면 물을 넣었다 빼거나 흐르는 물에 놓아 쌀 사이 부유물이나 깨진 조각들도 모두 흘려 보낸다. 처음에는 쌀뜨물이 엄청 많지만 생각보다 금방 깨끗해 지니 부담 갖지 말자. 깨끗이 씻은 쌀은 최소 3시간 이상 담가둔다. (바쁘면 좀 더 담가 둬도 된다.) 그 사이 쌀이 물을 흠뻑 머금고 오래 둘 수록 쌀이 연해져 찌기 쉬워진다. 하지만 너무 오래 두면 쌀의 다양한 성분이 물에 녹아 빠져나가 술이 건조해 질 수 있으니 주의가 필요하다. 어느 정도 때가 되었다 싶으면 쌀알이 부서지지 않도록 조심 히 채반에 건져내서 물을 1시간 정도 빼 준다. 그리고 그 사이 고두밥 지을 준비를 한다. (채반은 비스듬히 두면 물이 더 잘 빠진다.)

고두밥은 만두를 찌는 것과 비슷하다. 찜기 아래쪽에 물을 넣어 끓이며 그 증기로 쌀을 익힌다. 채반 물을 빼 주는 시간과 찜기 물이 끓는 시간을 맞춰 진행하면 편하다. 찜기에 김이 오르면 면보를 깔고 찹쌀을 올리고 그 때부터 50분 정도 찌고, 10분 정도 뜸을 들인다.

찹쌀 씻은 후(왼쪽), 찜기에 담기(중간), 고두밥 짓기(오른쪽)

다 된 고두밥은 넓게 펼쳐 식혀준다. (참고로, 빠르게 식히려면 선풍기를 틀어주는 게 좋다.) 고두밥이 완전히 식을 동안 밑술을 짜 준다. 밑술을 짜주는 이유는 누룩에 포함된 밀기울을 제거하기 위함이다. 밀기울이 계속 들어있으면 술 색이 진해지고 누룩 맛과 향이 술의 풍미를 해친다. 보통 따로 스텐 대야에 짠 후 고두밥과 혼합하는데 이번 경우엔 양이 얼마 되지 않아 발효 통에 바로 짜 주었다. (거듭 얘기하지만 사용하는 대야, 발효 통 그리고 손은 수시로 소독해서 오염 염려가 없도록 해야 한다.)

<사기 누룩 없으면 양조장도 만들지 마라>

고두밥 식히기(왼쪽), 발효조 소독(중간), 밑술 짜내기(오른쪽)

술 짜기(채주)

|

고문헌의 석탄주(석탄향) 레시피를 검색해 보면 대부분 덧술 후 '7일 만에 쓴다'고 되어있지만 개인적으로 짧지 않나 싶다.

술이 얼마 만에 익을까 라는 질문과 같은 이 문제는 나는 최소 3주 최대 3달 이렇게 답하고 싶다. 최소 3주라 생각한 이유는 '저온 발효에 의한 청주의 이화학적 특성 연구'라는 논문을 본 이후부터 인데, 논문에선 발효 온도 별 발효 기간에 대한 실험이 있고 25도에서 약 20~25일, 18도에서 약 30~35일, 10도에서 약 50일 이상 이란 데이터가 있다. (아래는 관련 논문 캡쳐[3])

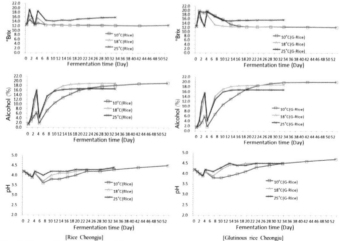

Fig. 1. Fermentation characteristics of Cheongju by temperature conditions.

부연 설명을 하자면, 위 그림을 보면 당도(Brix), 알코올, 산도(pH) 그래프가 있고 색상에 따라 발효 온도가 10도, 18도 25도에서의 결과 값이다. 왼쪽 그래프 세 개는 멥쌀(Rice) 오른쪽은 찹쌀(Glutinous rice)을 의미한다. 전체적으로 측정 값이 초반에 두 번 출렁이는 걸 볼 수 있는데 덧술을 할 때 마다 발생하는 변화고 삼양주 법으로 제조된 걸 알 수 있다. 항목 별로 보면, 당도는 온도가 높은 경우 증가하고, 알코올은 낮을수록 커지며, 산도는 시간이 지남에 따라 비슷하게 수렴한다. 발효 기간은 술의 변화가 어느 정도 안정화 된 시점으로 볼 수 있고 빨간색, 연두색, 파란색 순인데 이는 곧 온도 차이와 일치한다. (한 마디로 낮은 온도에서 더 긴 발효 기간이 필요하다.)

참고로, 전통주 관련 논문을 검색해 보면 생각보다 많고 다양해 놀라게 된다. 불확실한 카더라에 의존하기 보다 논문 읽기에 익숙한 분이라면 궁금한 키워드를 인터넷에 한 번 던져 보길. 이따금 생각지 못한 월척이 딸려 올라올 지 모를 일이다.

물론 충분히 발효가 진행되지 않아도 술을 짜낼 수 있겠지만 이왕이면 충분히 익어 맛과 향이 깊어지면 더 좋지 않을까 싶다. 특별히 문제만 없다면 발효 기간을 좀 더 길게 가져가는게 열대과일향과 같은 풍부한 풍미를 줄 수 있기 때문이다. 다만 한 여름철 고온에서 오래 두거나 저온이 아닌 상온에서 최대 3달이상 두면 잡내가 날 수 있으니 주의가 필요하다.

3주 만에 열어본 석탄주, 술이 고이고 있다(왼쪽), 4주 째, 좀 더 고였다(오른쪽)

이번 경우엔 한 달 만에 술을 짰다. 시아주머니라는 거름망을 이용해 짜 내면 된다. 술 양은 손아귀 힘에 비례하니 수고스럽겠지만 힘을 좀 쓰면 좋겠다. (재미있는 게 기계식 여과기가 있는 상업양조장에서도 손으로 짜는 걸 선호(?) 한다고 한다. 술이 더 많이 나온데 라나 뭐라나.)

저온 숙성

|

갓 짜낸 술이 제일 맛이 없다는 말이 있다. 숙성의 묘미를 표현한 걸로 그만큼 숙성이 중요하다. 처음 짜낸 술은 아무래도 강하고 거칠다. 하지만 냉장 숙성을 하다 보면 부드러워지면서 차분해 진다. 시간이 지나며 지게미가 가라 앉고 위쪽 맑은 술을 따로 마실 수 있는 것도 재미다. 마음이 급하겠지만 몇 일이라도 냉장고에 둔 후 마실 것을 권한다.

그리고, 특별히 다르게 하지 않았다면 만든 술의 도수는 최소 17도 이상이다. 요즘 소주가 16.9도니 시중에 막걸리 생각하고 글라스에 원샷하면 안된다. 최근 출시된 막걸리 중 얼음을 넣어 온더락으로 마셔라 광고하는 것들이 있는데 괜찮은 방법이다. 다만, 물을 타서 도수를 낮춰 마실 경우 가수 후 최소 3일 이상 두어야 술과 물이 재대로 조화를 이루니 유의하자.

시음

|

석탄주는 책을 쓰면서 오랜만에 만들어 봤다. 역시나 매우 달콤했고 특히 이번 술은 적당한 새콤함이 따라 붙어 더욱 맘에 들었다. (나중에 곰곰 생각해 보니 평소 안 쓰던 누룩을 이용해서 인 것 같다. 참고로 백술도가 '더 간편한 우리밀 누룩(진주곡자)'을 썼다.) 혼자 즐기는 것도 좋지만 가족과 함께 하면 더욱 좋고, 주변 지인들에게 선을 보이다 보면 어느 새 양을 늘려 밤잠 설치며 술을 빚고 있는 자기 모습에 깜짝 놀랄 것이다.

레시피 쓰는 법, 레시피 읽는 법

계량 단위

우리술 레시피의 원형을 쫓아 올라가다 보면 조선시대 레시피를 만나게 된다. 예를 들어 1800년대 <술방문>이라는 책에 보면 석탄주 만드는 방법이 다음과 같이 적혀 있다.

"백미 2되를 가루로 내어 끓는 물 1말을 붓고 죽을 쑨 다음 식힌다. 가루 누룩 1되를 섞어서 넣어 둔다. 봄·여름에는 3~4일, 가을·겨울에는 6~7일 만에 쌀 1말을 여러 번 깨끗이 씻어 담갔다가 익을 만큼 찐다."[1]

되, 말이라는 계량 단위가 있는데, 1되의 정확한 부피는 <세종실록>에 길이 4.9촌 x 2촌 x 2촌으로, 물을 담았을 때 570ml, 멥쌀은 540g이 담기지만 어차피 같은 용기로 계량을 하고 단위가 배수로 증가하기 때문에 용기만 맞추면 된다. 다시 말해 멥쌀가루를 어떤 용기로 두 번 계량해 넣으면 같은 용기로 물을 열 번 넣어 죽을 쓰면 된다는 얘기다. (10되가 1말이다.)

류인수 소장님도 처음엔 이런 걸 모르고 술을 빚었다가 계속 실패했다 하셨는데, '쌀 된 되로 물도 돼야'라는 고문헌 문구에서 힌트를 얻어 이후 문제가 없어졌다 한다. (얼마나 큰 사건이었으면 <한국 전통주 교과서> 표지에 '쌀 된 되로 물도 돼야'라는 문구를 넣어 놨을까.)

무게가 아닌 부피 기준으로 쌀과 물의 기준을 같게 하게 되면, 쌀:물 비율을 쉽게 예측할 수 있고, 총 술 양과 쌀:물 비율에 따른 맛 그리고 필요한 발효조 크기까지 예상할 수 있어 1석 4조의 효과를 얻게 된다. 부피가 아닌 무게 기준으로 할 때도

<자기 누룩 없으면 양조장도 만들지 마라>

일단 물은 부피와 무게가 같아 상관없고, 쌀, 누룩, 밀가루 등은 약간씩 다르지만 같게 보면 술 빚기가 훨씬 수월해 진다. (예를 들어, 백미 2되 물 1말을 백미 2kg 물 10L로 보는 식이다.)

다만, 정말 문헌 대로 술을 빚으려면 다음처럼 1되의 곡물 별 무게를 참고하자.

원료	멥쌀	찹쌀	누룩	밀가루	깐녹두	쌀보리	현미	물
무게(g)	540	530	400	320	470	500	440	570

곡물 종류 별 1되 무게

마지막으로 한 가지 주의할 점은, 자주 사용되는 홉, 되, 말은 틀림이 없지만 사발, 복자, 바리, 병, 동이 등은 주방문에 따라 비율이 다를 수 있으니 고문헌 DB를 통해 재차 확인이 필요할 것 같다. (고문헌 DB는 다음 번 참고하기를 보세요.)

사례 1

도전! 술 빚기 >

도전 삼양주만들기(레시피 한번 봐주세요)

 열심멤버 ☆ **1:1 채팅**
2022.12.02. 08:04 조회 179

주방문
- 맵쌀: 3.9kg -밀가루:100g -누룩:400g -물 4L

*밑술 : -쌀가루400g(범벅) -누룩:400g -물 1.6L
*덧술1: -쌀가루500g -밀가루100g(구멍떡) -물2L
*덧술2: 맵쌀고두밥3kg -물 400g

서울무형문화제 삼해주 레시피를 보고 제 나름대로 짜봤습니다.
거기에서는 마지막 덧술2를 할때 물을 넣더라구요.

덧술1을 고두밥으로 진행할까 구멍떡으로 할까 고민입니다.
선배님들의 조언 부탁드립니다.

레시피를 적을 때는 술을 덧 하는 순서대로 쌀, 물, 누룩, 밀가루, 가공방법을 적고 맨 마지막에 총 쌀 양과 물량을 적은 후 쌀:물 비율을 환산해 최종 술 맛을 예측해 본다. 다소 복잡하게 술 빚는 과정을 적어 놓은 경우라도 이렇게 다시 적어보면 그 과정과 목적 그리고 결과가 깔끔하게 정리된다.

예를 들어 보자. 위쪽 캡처 그림은 내가 잘 가는 우리 술 빚기 사이트에 올라온 어떤 이의 글인데 좀 복잡해 보이지만 간단히 정리가 가능하다.

	쌀	물	누룩	밀가루	가공방법
밑술	0.4	1.6	0.4		범벅
덧술1	0.5	2		0.1	구멍떡
덧술2	3	0.4			멥쌀 고두밥
-------	-------	-------	-------	-------	-------
	3.9	4.0	총 술 양 7.9L		
	1	: 1	누룩 10%, 밀가루 25%		

레시피를 정리하면 다음 사항이 한눈에 보인다.

첫째, 두 번 덧술 하는 삼양주다. 둘째, 총 술 양이 7.9L로 발효조는 그 보다 최소 30% 이상 큰 10L 이상 사용한다. 셋째, 쌀:물 비율이 1:1로 적당히 단 술이 될 것이다. 넷째, 누룩은 쌀 양의 10%, 밀가루는 누룩 양의 25% 사용으로 당화와 발효에 문제가 없어 보인다.

예를 보이기 위해 아무 글이나 가지고 와 봤지만 레시피를 정리해 보면 이상한 점이 몇 개 보인다. 먼저 밑술과 덧술1의 쌀:물 비율이 모두 1:4 인데 하나는 범벅이고 다른 건 구멍떡이다. 보통 1:2에서 1:4까지 가공 방법이 범벅인데 같은 비율로 구멍떡을 한 건 부자연스러워 보인다. 구멍떡은 쌀 양 대비 물 양을 매우 적게 쓰고 싶을 때 사용하는 가공법이다.

덧술2에서 멥쌀고두밥에 소량의 물이 들어가는 것도 이상해 보인다. 보통은 마지막 덧술로 멥쌀을 쓸 때 쌀이 잘 풀어지라고 같은 양의 펄펄 끓는 물을 붓는데 (탕혼이라 한다) 위 레시피엔 그런 게 없어 마지막에 들어오는 다량의 고두밥을 처리하기 어려울 수 있다. 댓글을 보면 어떤 유튜브 동영상을 보고 적은 거라는데, 아쉽지만 술이 잘 안될 레시피 라 말해 주고 싶다. 한국전통주연구소든 한국가양주연구소든 우리술 관련 정규 과정을 한 번 듣고 나면 쉬운 것인데, 혹 삼해주 레시피만 알고 싶은 거라면 입소문에 의존하지 말고 한국술 고문헌 DB를 이용하라 알려주고 싶다. (고문헌 DB는 다음 글 참고)

사례 2

내친 김에 하나 더 보자.

도전! 술 빚기 ›

첫 석탄주에 도전합니다~

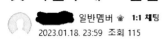 일반멤버 🌑 1:1 채팅
2023.01.18. 23:59 조회 115

💬 댓글 1●

📁 첨부

평소에 막걸리를 마시고자 맛 상관없이 대충 단양주를 만들어 만들어 마시다가
전통주의 맛을 음미해보고싶어 첫 석탄주를 빚은지 5일차 입니다! 사진은 덧술하고 다음날 찍은 사진이어
술익는집 유투브 보고 해보았습니다!
밑술 - 맵쌀가루500g , 물2.5L , 송학곡자 누룩200g
덧술 - 찹쌀고두밥 2kg
이렇게 진행 했네요 ㅎㅎ 뚜껑을 안열어보려고했는데 위에가 마른거 같아서 3일차에 한번 섞어주었습니
잘 나올지는 모르겠지만 기대반 걱정반으로 기다리고있습니다 ~
한번 석탄주를 만드니 욕심이 생겨
 내일 있는 재료로 석탄주한병,
다음주에 재료들이 오면 술익는집 유투브레시피대로 삼양주를 만들어보려구요 ~~ !

새로운 취미가 생긴것 같아요 ㅎㅎ

일단 적혀있는대로 레시피를 적어보면 다음과 같다.

	쌀	물	누룩	밀가루	가공방법
밑술	0.5	2.5	0.2		
덧술	2				찹쌀 고두밥

	2.5	2.5		총 술 양 5L	
	1	:	1	누룩 8%	

새로운 취미가 생긴 건 축하할 일이지만, 레시피는 그만큼 즐거워 보이지 않는다.

우선 밑술 가공방법에 대한 얘기가 없다. 쌀:물 비율이 1:5 니 당연히 '죽'이겠지만 명시적으로 표기하면 좋았을 것 같다. 그리고 총 쌀:물 비율이 1:1 이다. 석탄주는 쌀:물 비율이 1:0.8 비율로 매우 달콤한 술이다. '술익는 집' 유튜브에선 아마 단맛을 좀 줄이고 싶어서 인지 모르겠지만, 석탄주를 석탄주라 부르는 고유한 이유가 있다. 아마 글을 쓰신 분은 언제까지라도 석탄주를 1:1 비율로 알고 있지 않을까.

<자기 누룩 없으면 양조장도 만들지 마라>

 참고하기

한국술 고문헌 DB

우리 술 원형의 보고

우리 술 빚는 이들이 늘어나면서 다양한 술 이름이 오르락 거리지만, 술 빚는 방법이나 재료의 양이 서로 다른 경우가 많고 표현하는 방식도 제각각 이다. 이런 경우 그 술이 언제 등장했고 어떻게 만들어졌으며 어떤 특징이 있는지 정확히 알 수 있다면 매우 좋을 것이다.

<한국술 고문헌 DB> 홈페이지(koreansool.kr, 2023.4 기준)

다행스럽게도 한국가양주연구소 선배님 이기도 한 한국술문헌연구소 김재형 소장님께서 117개에 달하는 양조 문헌을 총 정리하여 인터넷 DB로 만들어 조건 없이 공개하고 있으니 가까이 두면 좋겠다. (7년간 매일 12시간씩 연구에 매진하여 만드셨 다니 존경심을 넘어 경외감이 느껴진다.)

예를 들어, 고문헌 DB 검색 란에 '호산춘'이라고 넣으면, 총 25개 항목이 나오는

데, 그중 2개는 주방문 내용에 호산춘이 언급된 거고, 나머지 23개는 문헌 별 호산
춘이라는 술에 대한 설명이다. 호산춘이라는 술이 이렇게 많은 것도 신기하지만 레
시피가 다른 것이 있어 이름은 같지만 지역이나 집안에 따라 달리 빚은 게 있다는
걸 알 수 있다. 시대적으로도 멥쌀 삼양주에서 찹쌀 이양주로 간소화되는 경향을 볼
수 있는데, 조선 후기로 가면서 술 빚는 실력이 상향 평준화 되며 찹쌀이 즐겨 사용
되었음을 짐작할 수 있다.

삼해주 레시피

레시피 쓰는 법에서 삼해주 얘기가 나왔는데, 정확한 레시피를 알아 보자. 고문헌
DB의 주방문에 들어가서 삼해주를 찾아 선택해 본다. 생각보다 많은 삼해주가 있다.
(책을 쓰는 시점에 55개 결과가 검색되었다.)

널리 알려진 고문헌 <음식디미방>에는 총 4가지 다른 방법의 삼해주가 있는데,
가공 방법이 서로 다르다. 구멍떡이나 알곡죽 등은 생소한 방법이니 그 중 쉬운 걸
택하 자면 범벅과 고두밥을 이용한 세 번째 삼해주가 괜찮아 보인다. 다음은 <음식
디미방> 삼해주 3의 레시피다.

	쌀	물	누룩	밀가루	가공방법
밑술	20	30	3	4.5	범벅(1월 첫 해일)
덧술1	30	45			범벅(1월 둘째 해일)
덧술2	50	75			멥쌀 고두밥(1월 셋째 해일)
	100	150	총 술 양 250L		
	1 :	1.5	누룩 3%, 밀가루 150%		

쌀만 100되가 사용되었는데, 무게로 환산하면 54kg이다. 양이 어마하다. 참고로
주의할 게 조선시대 레시피에 사용된 누룩 양을 보면 3~4% 정도로 매우 적다. 현
대의 우리술 과정에서는 쌀 양의 10% 정도를 사용하라 하는데 과거 레시피만 보고
3% 사용하면 술이 제대로 안된다. 이는 조선시대 누룩이 지금보다 훨씬 좋았다는
걸 반증하는데 안타깝게도 지금껏 그 기술이 이어지지 않고 있다. 미안하지만 누룩
양 만큼은 조상님 말씀을 어기도록 하자.

<자기 누룩 없으면 양조장도 만들지 마라>

아파트에서 술 빚기, 문제 없습니다

예전에 어떤 분이 술은 어디서 빚냐고 물으셔서 아파트에서 빚는데요 했더니, 그게 가능하냐며 깜짝 놀라던 기억이 난다. 아마 전통주가 가지고 있는 (약간은 고리타분한) 이미지 때문이 아닐까 싶다. 8년이란 시간 동안 아파트에서 술을 빚어 오며 크게 불편 하단 생각은 들지 않았지만, 혹시 도움이 될까 싶어 몇 가지 정리해 본다.

술 빚는 기준 양 정하기

집에 온갖 양조 도구와 시설이 완비되어 있지 않을 테니, 하나씩 따지다 보면 병목 지점이 꼭 나타난다.

내 경우 고두밥 찜기 용량이 그것인데, 한 번에 찔 수 있는 최대 양이 4kg이다. 이게 왜 중요하냐면, 레시피를 짤 때 이 값이 기준이 된다. 예를 들어, 쌀:물 비율 1:1 이양주를 만든다고 할 때 덧술 고두밥 양이 4kg으로 정해져 있기 때문에 밑술 양은 자연적으로 2kg이 되고, 물 양은 범벅 기준으로 3배인 6L가 된다. 도식으로 표현하면 다음과 같다. (레시피 쓰는 법, 읽는 법은 이전 글 참고)

	쌀	물	가공방법
밑술	2	6	범벅
덧술	4		찹쌀 고두밥
	6	6	
	1:	1	

여기에 누룩은 총 쌀 양의 10%, 밀가루는 누룩 양의 30% 규칙을 적용하면 최종적으로 다음과 같다.

	쌀	물	누룩	밀가루	가공방법
밑술	2	6	600g	180g	범벅
덧술	4				찹쌀 고두밥
	6	6		총 술 양 12L (발효조 16L 이상)	
	1	: 1		누룩 10%, 밀가루 30%	

불패주라 불리는 삼양주로 설계할 경우 밑술을 반씩 나누면 된다.

	쌀	물	누룩	밀가루	가공방법
밑술	1	3	600g	180g	범벅
덧술1	1	3			범벅
덧술2	4				찹쌀 고두밥
	6	6		총 술 양 12L (발효조 16L 이상)	
	1	: 1		누룩 10%, 밀가루 30%	

술 빚기 재료 준비하기

우리 술은 쌀, 물, 누룩이 필요하다. 그 중 쌀은 가공 방법에 따라 떡, 백설기, 범벅, 죽, 고두밥 등 다양한 형태로 사용이 되는데, 고두밥을 제외하곤 모두 쌀가루가 필요하다. 쌀가루는 쌀을 깨끗이 씻어 3시간 이상 불린 후 1시간 정도 물을 빼고 동네 방앗간에서 소금 없이 두 번 빻아 쓰면 되는데, 경험상 쉽지 않다.

평생 방앗간 갈 일 없는 나도 예외가 아니었는데, 가까운 방앗간을 정해 일단 안면을 트는게 중요하다. (직접 빚은 술 한 병 갖다 드려보자. 아마 목소리 톤이 바뀔 것이다.) 그리고 한 번 할 때 꽤 많은 양을 하고 500g이나 1kg씩 지퍼 백에 넣어 냉동시켜 두면 매우 편하다.

한 가지 주의할 게, 멥쌀은 불리면 1.25배, 찹쌀은 1.4배 물을 먹어 무게가 증가한다. 따라서 쌀 1kg씩 나눠 넣는다 함은 멥쌀 가루는 실제 1.25kg, 찹쌀가루는 1.4kg씩 계량해야 함을 의미하니 착오 없기를. (당연히 냉동된 쌀가루는 충분히 녹은 후 사용한다.)

혹 방앗간 들리는 게 번거로우면 인터넷에서 편하게 습식 무염 쌀가루를 사다 쓰면 된다. (요즘은 많이들 사다 쓰는 것 같다.) 찹쌀은 어느 정도 손에 익고 품종을 가리게 되기 전까진, 그냥 마트에서 아무거나 선택해도 될 것 같다. (쌀 품종에 대한 이야기는 2부 '쌀, 우리술 주재료 이자 풍미의 뼈대'에서 더 할 계획이다.) 물은 쌀을 씻거나 불릴 땐 편의 상 수돗물을 이용하지만, 술을 빚을 땐 반드시 정수 물, 생수 또는 끓여 식힌 걸 사용해야 하니 유의한다.

누룩은 인터넷에서 쉽게 구할 수 있는데, 금정산성 누룩, 송학곡자(소율곡), 진주곡자 등 편한 대로 선택하되, 누룩 마다 특징이 다 다르기 때문에 가급적 처음엔 한 종류만 사용하여 특성을 충분히 파악한 후 다른 걸로 옮겨가는 걸 추천한다. 술 잘 빚는 분들은 두 개 이상 누룩을 섞어 쓰기도 하던데 개인적으로 해 본 적은 없다.

누룩 사용 시 특별히 주의할 점은, 필히 술 빚기 최소 2~3일 전부터 햇볕을 쬐어 주고 뒤적여 주는 등 법제를 하되, 너무 오래 두면 벌레가 생기니 쓰지 않을 땐 밀봉해서 서늘한 빛이 들지 않은 곳에 보관해야 한다. (집안에 못 보던 벌레가 돌아다니면 십중팔구 누룩이 범인이다!)

술 빚는 도구 준비하기

|

지금이야 종류별 스텐 대야, 채반, 국자, 용량 별 발효 통에 10L 동 증류기, 50L 자동 발효조, 5인치 돌로라까지 있지만 처음부터 다 갖추기보단 필요할 때마다 필요한 것만 갖추는 식으로 늘려나가는 게 좋다.

최소로 필요한 것만 정리해 봤다.

1) **저울**: 카스에서 나온 '단순 중량 전자저울 SW-1S'가 가장 무난한 것 같다. (어딜 가도 모두 이 저울이 보인다.) 참고로 SW-1S 모델은 최대 중량과 측정 단위에 따라 사양이 구분되는데, 최대 중량 30kg, 측정 단위 10g인 모델이 가성비가 좋다.

2) **계량 컵**: 100ml 단위로 1L까지 계량 가능하면 어떤 걸 사용해도 무방하다. 정수기의 한 번에 나오는 양을 이용해도 편하다.

3) **스텐 대야**: 선학 8호(44cm) 짜리를 2~3개 준비하면 좋겠다. (여러 브랜드가 있

는데 선학에서 나온 게 제일 두꺼워 애용 중이다.) 앞서 술 빚기 병목에 대해 얘기했는데, 한 번에 고두밥을 최대 4kg까지 지을 수 있기 때문에 쌀 씻기도 4kg 기준으로 진행한다. 8호 이용 시 씻기 적당하고, 특히 내 경우 쌀을 욕실에서 씻는데 대야 크기가 맞춰 들어가 편하다. 대야는 쌀을 씻을 때뿐만 아니라 고두밥을 찌거나 방앗간에 갈 때도 필요하다. (본인 환경에 맞춰 크기를 줄여도 된다.)

카스 단순 중량 전자저울 SW-1S(왼쪽), 계량 컵 이자 물을 끓일 때 사용하는 전기 포트(중간), 스탠 대야들(오른쪽)

4) 스탠 채반: 불려 둔 쌀 물 뺄 때 사용한다. 움푹한 것 보다는 가급적 넓고 평평한 걸 선택해야 물이 잘 빠진다. 참고로 물을 뺄 때는 비스듬히 기울여 줄 것.

5) 찜기: 백설기나 고두밥 찔 때 사용한다. 내 경우 불린 쌀 4kg을 찔 수 있는 찜기가 집에 있어 따로 구입하지 않았다. 경험 상 한 번에 찔 수 있는 양이 술 빚기 병목이 되니 신중히 선택하는 게 중요하다. 또한 어디에서 찔 건지도 생각해 볼 만한 문제다. 화력이 셀수록 고두밥이 더 잘 쪄 지기 때문에 가스레인지보다는 인덕션이 더 낫다. (그 밖에 마하찜기, 고 화력 버너, 고출력 인덕션 등이 있는데 자세한 건 2부 '쌀, 우리술 주재료 이자 풍미의 뼈대' 참고)

6) 깔끔이 주걱: 범벅 등 혼합할 때랑 내용물을 발효조 등에 담을 때 사용한다.

7) 스탠 국자: 중간중간 술 맛을 보거나 술을 떠 낼 때 국자가 필요하다. 큰 것 작은 것 두 종류가 있으면 좋겠고, 전체가 스탠으로 되어 있는 게 관리가 쉽다.

평평한 스탠 채반(왼쪽), 찜기(중간), 깔끔이 주걱과 여러 크기 스탠 국자들(오른쪽)

8) 실리콘 면보: 고두밥 찔 때나 식힐 때 예전에는 천으로 된 면보를 사용했는데, 실리콘 면보를 사용하고 신세계를 경험했다. 사용 및 세척이 넘사벽이니 강추. 그렇다고 천 면 보가 필요 없는 건 아니다. 술 발효 시 오염을 방지하기 위해 발효조 위에 덮을 면 보가 필요하니 세탁을 고려해 여러 개 사놓으면 좋겠다.

9) 거름망(시아주머니): 술을 짤 때 사용한다.

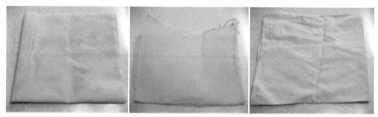

실리콘 면보(왼쪽), 거름망(중간), 천 면 보(오른쪽)

10) 발효조: 이양주 이상 술을 빚으려면 밑술 용과 덧술 용이 필요하다. 주의해야 할 점은 술이 끓어 넘칠 수 있으니 여유 공간이 최소 30%는 있어야 한다. 앞서 설명한 이양주 레시피를 기준으로 얘기하면 밑술 양이 8L이니 최소 11L 이상 필요하고, 덧술 시 총 술 양이 12L니 발효조는 최소 16L 이상이어야 한다. 처음에는 구하기 쉽고 발효 과정이 보이는 플라스틱통으로 시작하는 게 좋지만, 익숙해지면 스탠식깡이나 (자신 있으면) 항아리를 사용하자. 플라스틱통은 특유의 냄새가 배어 안 좋다. 스탠은 다 좋지만 연마제가 남아있을 수 있으므로 구입 후 힘이 들더라도 잘 닦아낸 후 사용해야 한다.

11) 깔때기: 다 된 술을 병에 넣을 때 사용한다. 아마 집에 한 두 개씩 있을 듯.

12) 온도계: 당장은 사용할 일이 없지만 시간이 지나면 온도 잴 일이 많이 생긴다. 기본적으로 주변 온습도 모니터링이 가능한 온도계는 꼭 있어야 하고, 비접촉 복사 온도계라고 적외선을 쏴 온도를 측정하는 게 있으면 고두밥 식힐 때 편하다. 그 밖에 품온 측정을 위한 탐침 온도계가 있으니 참고할 것.

식깡 발효조(왼쪽), 깔때기(중간), 각종 온도계들(오른쪽)

목수가 연장 탓 안한다는 말이 있다. 장비나 연장과 관계없이 솜씨와 실력이 중요하다는 말일 수 있지만, 본인이 처한 환경에서 최선의 결과를 내도록 항상 궁리해야 한다는 걸로 읽힌다.

예를 들어 발효조의 목적을 생각하면 사실 집에 있는 아무 냄비나 찜통을 사용해도 문제가 없다. 실리콘 면 보가 없어도 고두밥을 찌는데 문제가 없다. 다만 어느 정도 기본이 익혀지고 준비된 양조인이라면 딱 그 시점에 한 두개 도구라도 업그레이드 되었을 때 실력이 확 늘 것이다. 일단 손에 익히고 내 술의 차이를 느껴보자. 어느 순간 정말 제대로 된 도구가 필요하다는 느낌이 들 때가 올 것이다. 그 때 갖춰도 늦지 않다.

기본 중 기본

|

술 빚는 도구는 반드시 소독해서 사용해야 하고 손도 마찬가지다. 괜히 우리 조상님들이 날을 받아 목욕 재개하고 술을 빚은 게 아니다. 소독은 매번 반드시 꼭 해야하니 명심하자. 따라서 마지막으로 준비해야 할 가장 중요한 도구는 소독용 에탄올이다.

도구를 끓여 쓰는 게 가장 확실 하겠지만 번거로워 내 경우엔 소독용 에탄올을 애용한다. 큰 약국에 가도 팔지만, 소독용 에탄올 83%로 검색하여 대용량으로 인터넷 구매하면 편리 하니 참고한다.

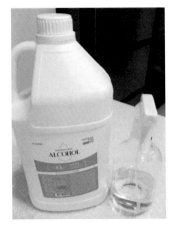

우리술 빚기, 왕도가 있을까요?

한 가지 술 100번 빚기

술 공부 처음 시작할 때, 실력을 올리려면 한 가지 술을 정해 100번은 빚어봐야 한단 얘길 많이 들었다. 이게 정말 신빙성이 있는 게, 같은 술을 계속 빚어보면 사용 도구, 방법, 순서, 일정, 공간 등이 지속적으로 튜닝 되면서 내 환경에 최적화 된다. 다시 말해 손에 익게 되는데, 시간이 지날수록 특별히 힘 들지 않더라도 자연스레 모든 과정이 진행된다.

술이 (힘든) 노동으로 안 느껴질 때쯤 맛과 향이 보이고, 계절 변화에 따른 차이도 감지된다. 같은 레시피로 빚었는데 왜 서로 다를까 라는 질문은 자연스레 쌀, 물, 누룩 등 우리술 구성 요소에 대한 관심을 불러일으키고 이는 본격적인 이론 공부의 시발점이 된다.

이쯤에서 궁금한 게 정말 한 가지 술을 100번 빚어 본 사람이 있을까? 있다! 한국술문헌연구소 김재형 소장님께서 운영하는 블로그(한국술 즐기기)에 가보면 '백 번째 부의주'라는 글이 있다. 스스로 '이제는 술을 잘 빚을 수 있을까?' 반문하고 계시지만 나는 '당연히 그러하다' 확신한다.

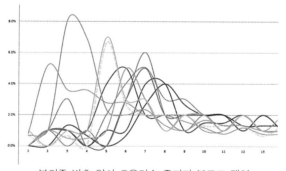

부의주 발효 양상 @우리술 즐기기 블로그 캡처

어떤 술부터 시작할까

|

얘기가 옆 길로 좀 샜는데, 그럼 어떤 술로 시작하는 게 좋을까? 김재형 소장님처럼 부의주로 시작할 수 있지만, 생각보다 부의주는 매우 어려운 술이다. 대신 한국 가양주연구소 우리술과정 실습 과정을 둘러보면 힌트를 얻을 수 있을 것 같다. 우리 술과정 명인·명주반 실습 내용을 보면 술 빚기 과정이 쌀:물 비율에 맞춰 설계되어 있다는 걸 알 수 있다. (참고로, 주인반에선 동정춘, 순향주, 반생반숙, 백수환동주, 모주 등을 배우는데 고문헌 수업 중 나온 것이라 순향주와 반생반숙이 1:1 비율인 것을 제외하곤 크게 규칙은 없어 보인다.)

1:1	떡형	→	미 실습, 대신 단양주와 과하주가 1:1 비율
1:2		→	복분자주
1:3	**범벅형**	→	**삼양주**
1:4		→	당귀주
1:5	죽형	→	석탄주
번외	구멍떡	→	이화주

실습이 쌀 물 비율 중심인 걸 알 수 있고 그 중에서 가장 먼저 하는 게 1:3 범벅형 삼양주다. 조선 초기 죽 형 밑술이 많았지만 술 만드는 기법이 발달한 후기로 갈수록 범벅 형 레시피가 많아진 것에서 힌트를 얻을 수 있다. 범벅 형 밑술은 죽에 비해 덧술시기가 늦게 오는 대신 효모 증식 시간이 충분해 미생물 양이 많아지고 이는 곧 높은 알코올 도수와 안정적인 발효로 이어지기 때문이다. 한국가양주연구소에선 절대 실패하지 않는 술. 즉, 불패주로 불린다.

나는 씨앗술을 이용한 찹쌀 이양주로 시작했다. 아마도 두 번 덧술 하는데 대한 부담도 있었고 씨앗술 이라는 안전장치가 있어 거의(?) 삼양주 같다 생각했던 것 같다. 쌀 300g에 물 1L로 범벅을 만들고 누룩 500g(원래는 600g)으로 씨앗술을 만든 후, 반으로 나눠 총 쌀 양 6kg 레시피 두 개에 사용한다. (씨앗술에 대해선 다음 '참고하기' 글에 간단히 정리해 두었다.)

	쌀	물	누룩	가공방법
씨앗술	0.3	1	0.5	범벅
밑술	2	6	씨앗술 반	범벅
덧술	4			찹쌀 고두밥
	6	6	총 술 양 12L	
	1 :	1	누룩 4.2%	

'아파트에서 술 빚기, 문제 없습니다.' 글에서도 얘기했지만 한 번에 찔 수 있는 고두밥 양이 4kg으로 정해져 있어 위와 같이 짰다. 계절에 따라 다르지만 보통 밑술 후 덧술까지 3일 정도로 보고, 주말에 고두밥을 찌도록 일정을 잡아 진행했다. 다시 말해 손이 많이 가는 요일이 토요일이 되도록 한 후 역순으로 밑술, 씨앗술을 배치하면 편하다. (토요일 덧술을 한다면 수요일 밑술을 해야 하고, 그전 일요일에 씨앗술을 만들어 둔다.)

씨앗술 이용 멥쌀 이양주

씨앗술 이용 찹쌀 이양주가 손에 익으면 재료를 바꿔본다. 멥쌀이다. 멥쌀은 호화시키기 어려워 고두밥 찐 후 같은 양의 펄펄 끓는 물을 부어 하루 삭혀야 하는데, 그걸 감안하여 전체 물량을 조정하고 덧술 일정도 조정해야 한다.

	쌀	물	누룩	가공방법
씨앗술	0.3	1	0.5	범벅
밑술	2	2	씨앗술 반	반생반숙
덧술	4	4		멥쌀 고두밥
	6	6	총 술 양 12L	
	1 :	1	누룩 4.2%	

쌀:물 비율 1:3은 범벅 만들기가 매우 쉽지만, 1:1로 비율이 바뀌면 쌀가루를 완전히 익히기 어려워진다. 반 정도 익는다 하여 반생반숙이라 하는데, 반생반숙 형 레시피가 따로 있을 정도로 자주 사용되는 가공 방법이다. 한가지 주의할 사항은 죽이

나 범벅과 달리 쌀가루가 충분히 풀어지지 않았기 때문에 상당히 끓어오를 수 있다. 발효조는 가능한 큰 걸 사용해야 참사를 면할 수 있다.

술이 끓어 오르는 모습(왼쪽), 저어준 후 엄청 꺼진 모습(오른쪽)

멥쌀 고두밥에 대해선 2부 '쌀, 우리술 주재료 이자 풍미의 뼈대'에서 좀 더 구체적으로 알아볼 텐데, 찹쌀과 달리 익히기 쉽지 않기 때문에 오래 불리고 두 번 찌며, 결정적으로 찌고 난 고두밥에 같은 양의 펄펄 끓는 물을 부어 하루 삭혀야 한다. 다시 말해 덧술에 사용될 멥쌀 고두밥을 하루 전에 쪄야 한다는 말인데 이를 감안하여 일정 수립이 필요하다. (개인적으로 멥쌀 고두밥이 좋은 이유는 술이 달지 않아서 이기도 하지만 고두밥 찌고 난 후 식힐 필요가 없는 것도 한 몫 한다.)

이양주, 삼양주, 오양주

|

계속 씨앗술 이용 찹쌀 또는 멥쌀 이양주를 빚다가 (물론 중간에 다양한 부 재료를 실험해 보면서) 삼양주로 바꿔야겠다는 결심을 하게 된 게, 전국가양주주인대회 출품하면서부터다.

입상 작 대부분이 삼양주로 되어있어 이양주 대비 품질 차이가 크다는 걸 알게 되

<거기 누룩 없으면 양조장도 만들지 마라>

었고 재료 가공 스킬이 늘면서 한 번 더 덧술 하는 부담이 적어진 것도 이유다. 게다가 한 겨울 저온에서 발효된 삼양주 맑은 술을 한 번 맛보면 그 매력에서 헤어나오기 힘들다. (마셔보면 알겠지만 급이 다르다.)

	쌀	물	누룩	가공방법
씨앗술	0.3	1	0.5	범벅
밑술	1	2	씨앗술	범벅
덧술1	2	4		범벅
덧술2	8	7		멥쌀 고두밥
-----	---	---	---	-----
	11	13	총 술 양 24L	
	1	:	1.2	누룩 4.5%

이쯤 되어 내 경우 누룩을 설화곡으로 바꾸게 된다. (설화곡에 대해서는 4부 '나만의 누룩'에서 자세히 설명하겠다.)

설화곡은 멥쌀 흩임 누룩이기 때문에 필히 삼양주 이상 해야 해서 처음에는 순향주 법을 실험해 봤지만 내 환경에는 맞지 않았다. 그러다 서울탁주가 오양주로 만들어진다는 얘길 듣고 나도 본격적으로 오양주 법을 받아들였다. 특히 오양주는 '고두밥 나눠 넣기'라는 기법이 포함되어 있어, 쌀을 두 번에 걸쳐 나눠 넣으며 쌀의 종류를 바꿀 수 있고 가공 방법도 다르게 할 수 있기 때문에 다양한 술 제조에 효과적이다. 자세한 레시피와 오양주 술 빚는 방법은 <한국 전통주 교과서>를 참고한다.

다음은 설화곡을 주모로 이용한 오양주 레시피다. (참고만 할 것. 자세한 건 4부에서.)

	쌀	물	누룩	가공방법
주모		3.9	2.6 (설화곡)	혼합 (쌀:물 비율 1:1.5, 6일)
밑술	1	2	주모	범벅
덧술1	2	4		범벅
덧술2	2	4	1 (설화곡)	범벅 (설화곡 추가 투입)
덧술3	4			찹쌀 고두밥 (고두밥 나눠넣기)
덧술4	4	4		멥쌀 고두밥 (덧술3 거른 후)
-----	---	---	---	-----
	12	14	총 술 양 26L	

1 : 1.17   총 쌀 양 대비 누룩 30%

어쩌다 보니 이양주, 삼양주, 오양주로 단수를 높여왔는데, 쌀가루, 범벅, 반생반숙, 고두밥 등 술 빚기 본질이 같다는 걸 이해하는 게 중요하다. 여기에 누룩 변화, 주재료(쌀) 변화, 가공방법 변화, 부 재료 여부, 계절에 따른 온도변화가 변주 되면서 다채로운 술이 나온다.

새로운 술을 찾아서

우리술 빚기 카페에 가보면 매번 마실 술이 없다며 아쉬워하는 이들이 있지만, 한 번에 고두밥 4kg씩 지으며 다양한 실험을 곁들이다 보면 늘 집에 술이 넘친다. 하

지만 아무리 좋은 것도 질리는 법. 시간이 지나며 자연히 좀 더 새로운 것 신선한 걸 찾게 되는 것 같다. 인터넷 카페의 다양한 레시피와 글들에 자극 받기도 하고, 고문헌을 공부하면서 흥미를 느끼는 술들도 많다.

최근 젊은 양조사들 중심으로 숨겨져 있는 고문헌 술에서 아이디어를 얻고 현대적인 방식으로 해석하여 술을 빚는 등 우리술 시야를 넓히고 있다.

내 경우도 최근 <조선셰프 서유구의 술 이야기>라는, 임원경제지 정조지의 33가지 우리 술을 복원하고 17가지 현대화한 과정과 감흥을 기술한 책을 보며, 따라 빚어보고 싶다는 마음이 들었다. 우리술을 단순히 소비하기 위한 용도로 보기보다는 어느 정도 손에 익으면 나만의 새로운 술을 찾아 끝을 알 수 없는 새로운 세계에 발을 디뎌 보는 것도 어떨까 싶다.

<사기 누룩 없으면 양조장도 만들지 마라>

✅ 참고하기

씨앗술

씨앗술은 한국가양주연구소 류인수 소장님께서 '실패하지 않는 밑술'을 빚기 위해 고안한 방법이다.

멥쌀 가루 범벅에 쌀 양의 두 배 누룩을 넣어 미리 야생 효모와 젖산균을 키워 두고, 이를 누룩 대신 사용함으로써 밑술의 안정된 발효를 돕는다. 게다가 보통은 쌀 양의 10% 정도 누룩을 넣어줘야 하는데 씨앗술이면 5~6% 정도면 충분하기 때문에 경제적이면서 누룩 냄새가 덜 나는 질 좋은 술이 된다. (알코올 도수도 1~2도 더 높게 나온다고.)

레시피

다음은 씨앗술 표준 레시피인데, 이 정도로 빚을 수 있는 술 양이 쌀 10~12kg이니 남은 건 냉장고에 보관했다 사용하면 된다.

	쌀	물	누룩	가공방법
씨앗술	0.3	1	0.6	범벅 (멥쌀)

내 경우 앞에서 찹쌀 이양주부터 시작했다 했는데, 이 때 씨앗술은 누룩을 500g으로 다소 줄여 만들었고, 전체 쌀 양이 6kg이기 때문에 반만 사용하고 남은 건 냉장고에 보관하거나, 다른 제법의 술을 동시에 빚으면서 나눠 사용하기도 했다. (냉장 보관은 한 달까지는 문제없었던 기억이 있는데, 당연히 너무 오래 두면 안된다.)

▶ 우리술대회 출전기 ①

다른 사람들은 내 술을 어떻게 평가할까?

우리술을 어느 정도 빚다 보면 다른 사람들은 내 술을 어떻게 평가할까 궁금해지는 시점이 온다. 처음에는 사내 시음모임으로 시작했는데, 모임을 시작하게 된 계기는 어느 해 우리술 전시회에서 풍정사계 이한상 대표님 충고를 듣고부터다.

처음에는 아는 게 별로 없으니 양조장 마다 누비고 다니며 궁금한 걸 질문해 댔다. 그렇다고 뭐 특별한 걸 물은 것도 아니고 쌀은 어떻게 쪘냐 어떻게 이런 맛이 나냐 누룩은 어떤 걸 썼냐 이런 것들이었다. 그렇게 신나게 묻고 다니는 와중에 이한상 대표님께서 돌아서는 내게 이런 말씀을 하셨다.

"그렇게 묻고 다녀야 소용 없습니다. 본인이 빚고 싶은 술이 우선 명확해야 하고 그 맛과 향은 소수의 사람들과 지속적으로 의견을 나누며 가다듬어야 합니다."

풍정사계 약주 하나 만드는데 10년이 걸렸다는데, 가벼운 입을 놀린 게 어찌나 낯간지럽던지. 그렇게 해서 가까운 지인들을 모아 사내 시음 모임을 만들었다. (오른쪽 사진 맨 왼쪽이 나다.)

원래부터 술을 좋아하는 사람들인 데다가 공짜 술을 무한(!) 제공하니 금새 모임이 활성화 되었다. 그러면

서 차츰 서로 다른 내 술에 대해 시음 평을 받는 식으로 했는데 이게 참 신기했다.

한 마디로, 백인백색(百人百色). 크게 경향 치는 있었지만, 사람마다 좋아하는 술과 이유와 기준이 다 다른 까닭이다. 예를 들어 오래된 일이긴 하지만 5개 내 술을 가져가 4명에게 가장 좋아하는 술(1등)과 그렇지 않은 술(5등)의 순위를 매겨 달라고 한 적이 있었다.

당시 블로그에 적혀 있던 결과를 표로 정리하면 아래와 같다.

시음자	1번 술	2번 술	3번 술	4번 술	5번 술
박팀장	밸런스 굿(1등)	산미 불호(5등)	바디감, 쌉싸름	그저 그런 단맛	강한 향 싫음
안담당	밍밍해(5등)	청하 진하게, 과일주 넣은 맛	오리지널 청주(1등)	너무 달다	물탄 인삼주
이팀장	단맛이 과하다	쓰다(5등)	단맛이 과하다	노 코멘트	어렸을 때 먹던 맛(1등)
유책임	달았다	중간 산미, 적당한 단맛	기분 좋은 산도, 페어링 중요(1등)	너무 달아	난잡한 맛(5등)

유독 4번 술에 대해선 공통적으로 달다 했고 1등도 5등도 아닌 상태인데, 아닌 게 아니라 1:0.9 비율 찹쌀 술이라 이해가 되었다. 하지만 박팀장은 1번, 안담당과 유책임은 3번, 이팀장은 5번을 각각 1등으로 뽑아 억지로 얘기하면 3번 술이 좀 더 대중(?)적인 술이라 할 수도 있겠지만, 같은 술이라도 1등과 5등이 혼재해 사실상 어떤 술이 좋은지 알아보는 건 의미가 없게 되었다. 이렇게 호 불호가 갈리다니…… 시음 모임은 계속 유지되었지만 내 술에 대한 객관적 평가는 다른 방법이 필요해 보였다.

술을 뽑는 대회

예전에 '나는 가수다(나가수)'라는 TV 프로그램이 있었다. 보통은 가수가 일반인을 평가하는데 나가수에선 일반인이 유명 가수를 평가하는 방식이어서 센세이션을 불러일으켰다. 마치 마징가제트와 태권 브이가 싸우면 누가 이길까 식으로. 전통주 세계에서도 2010년 비슷한 일이 일어났다. 91명이 참가하는 전국 규모의 가양주 대회가 서울 코엑스에서 열렸던 것이다. 지금의 전국가양주주인선발대회 시작이다.

당시 심사위원으로 참여한 허시명 막걸리학교 교장님이 경향신문에 기고한 글을 보면, "16강의 뚜껑을 열고 보니 뜻밖의 결과가 나왔다. 작은 술도가 운영자, 10년 넘도록 술을 빚고 강의해 온 술 선생님, 한국에서 들을 수 있는 모든 술 강좌를 들었던 학구파들이 줄줄이 떨어졌다. 심사위원으로 참여했던 필자로서도 당혹스러운 일이었다."며 소회를 밝히고 있다. 몇 가지 요인을 짚고 계셨지만, 당시 대상을 받은 안담 윤 현 내올담 양조장 대표님 인터뷰 내용을 보면 이유가 짐작이 간다.

"각각의 비율을 조금씩 다르게 해 모두 30개 후보 군을 만든 후, 본선 진출을 4개로 압축시켰다. 그리고 이들을 지인 16명에게 직접 맛보게 한 결과 한 가지가 최종 낙점됐다. (알코올 12%, 13 브릭스, 산도 3.7) 이렇게 만들어낸 막걸리는 최대한 대회 성격에 맞춘 것이다. 쉽게 얘기해 대중이 좋아할 만한 맛을 찾아냈다." '장인을 뽑는' 대회가 아니라 '술을 뽑는' 대회라는 허시명 교장님 코멘트가 이해되는 대목이다. 그리고 이게 바로 내가 바라던 바다.

우리술대회 출전

2019년 제10회 가양주주인선발대회에 무작정 참가신청을 했다. 그런데 하필 10회 대회 주제가 100% 멥쌀술이었다. 경기미 참드림 10kg을 받아 맑은술 6L를 제출해야 하는데, 아무리 해도 청주가 5L 밖에 안 뜨는 것이다. 돌이켜 보면 멥쌀 처리를 제대로 못해서 그런 건데, 당시에는 어떡해서든 여과 만 잘하면 될 것 같아 백방으로 뛰 다니다 결국 제출을 못했다.

이 글을 쓰면서 당시 블로그를 보니 '드라이하고, 깔끔하면서, 곡물 자체의 풍미가 있는 고급 청주'를 기대했던 모양인데, 시음 평을 보니 '쓰다. 알코올 기가 느껴진다. 밀 누룩 맛과 향이 따라온다'로 되어 있어 이미 망했던 모양이다.

심기일전하여 2020년부터는 좀 체계적으로 대회 준비를 하기로 했다. 일단 어떤 대회를 목표로 할지 정해야 했는데, 상반기 강릉단오제 대한민국 창포주 선발대회(음력 5월 5일 단오), 하반기 여주 오곡으로 빚은 가양주품평회(10월), 전국 가양주주인선발대회(10월), 대한민국명주대회(11월), 한국가양주연구소 궁중술대회(11월) 등이 눈에 들어왔다. (참고로 드물게 지방 창원에서 개최되는 '창원 전통주대회(4월)'

가 있다. 2023년이 2회 대회였다.)

큰 이야기를 하나 마무리할 때마다 각 대회 출전기를 하나씩 붙여 두었다. 처음에는 사람들이 내 술을 어떻게 평가할까 라는 단순한 생각에서 시작했지만, 우리술대회 참가는 대중이 좋아하는 술이란 무엇인가 내가 목표로 하는 술은 어떻게 빚어야 하나 왜 탈락했으며 왜 입상했는지 정말 많은 생각을 하게 했다. 그리고 그런 와중에 어마하게 성장한 것 같아 이 글을 읽는 여러분들도 꼭 한 번 도전해 보길 바래 본다.

2부. 우리술 기본 재료

1부에서 우리술을 같이 빚어봤고 집에서 술 빚기 위한 준비물이나 고려해야할 사항에 대해 알아봤다. 그리고 내가 걸어온 술 빚기 과정을 통해 이 글을 읽은 분들 나름대로 대략적인 우리술 빚기 방향을 그려봤는지 모르겠다. 2부에선 우리술 기본 재료인 쌀, 물, 누룩에 대해 하나씩 따져본다. 기본이 튼튼해야 넘어지지 않는다.

쌀, 우리술 주 재료 이자 풍미의 뼈대

술의 주 재료

흔히들 우리 술은 쌀, 물, 누룩으로 만든다 한다. 그중 쌀은 우리술 주 원료 이자 기본적인 풍미를 결정짓는 요소다. 오래된 일이긴 하지만 배상면주가에서 전국 8개 도에서 생산한 쌀을 이용해 '내 고향 막걸리 8종'을 내놓은 적이 있다. 쌀 생산 지역 과 종류만 다르게 해서 같은 제조법으로 막걸리를 빚었는데 맛은 크게 달랐다 한 다.[6] 예를 들어, 포천 추청벼로 만든 막걸리는 단맛이 가장 높았고, 고창 온누리벼가 가장 낮았는데 평균 점수가 15%나 차이가 났다. 신맛이 특징인 막걸리도 있고, 사과 향이 감돌거나 담백함이 탁월한 막걸리도 있다 하니 가히 우리 술도 지역마다 '떼루아'가 있다 말할 수 있겠다.

어떤 쌀을 사용했는가 는 최근 양조장 중요 관심사이자 마케팅 포인트가 되기도 한다. 나루 생 막걸리로 유명한 한강주조는 서울 경복궁쌀 (서울에서 쌀이 나는지는 나도 첨 암), 88년생 사장님들이 만드는 팔팔막걸리는 김포금쌀, 대통령상을 수상한 세종대왕 어주 장희도가는 청원생명쌀, 여주를 대표하는 추연당은 대왕님표 여주쌀, 삼양춘으로 알려진 송도향전통주조는 강화섬쌀을 내세워 각자 자기 술의 정체성을 드러내고 있는 것이다.

멥쌀술이 안 돼요

하지만 술 빚기를 처음 시작한 때라면 쌀 품종까지 신경 쓸 겨를이 없다. 밑술은 밥 먹는 쌀(멥쌀)을 빻거나 습식 무염 쌀가루를 사서 쓰고 덧술은 보통 찹쌀을 사용 하는데 대게 품종이 '혼합'이라 차이를 인지하지 못한다. 돌이켜보면, 우리술과정 맨 초반 쌀에 대해 배우지만 왜 쌀 인가에 대한 절실함이 없으니 여타 수업처럼 들을 땐 이해돼도 정작 나랑 무관한 것처럼 밀어 놓게 된다. (내가 그랬다.)

쌀에 대해 진지하게 다시 생각해 보게 되는 계기는 역시 문제가 발생하고 나서다. 씨앗술을 이용한 멥쌀 밑술, 찹쌀 덧술 이양주가 어느 정도 손에 익을 즈음이면, 주변 지인들의 '술이 너무 달다', '단조롭다'는 불평(?)도 귀에 익는다.

주 재료에 변화를 줄 때가 온 것이다. 좀 더 경쾌하고 드라이한 술을 만들기 위해선 멥쌀을 사용해야 하지만, 어떤 품종을 써야 할지, 재료 처리는 어떻게 해야 할지 헷갈리기 시작한다. 평소처럼 했는데 맑은 술이 안 뜬 다거나, 술을 짜기 너무 어렵다거나 (일단 술이 술술 짜지지 않으면 뭔가 잘 못 된 거다.) 이따금 삭지 않은 쌀들이 만져질 때면 이게 아닌데 하는 생각이 든다.

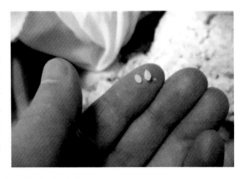

삭지 않은 멥쌀 알→

벼르고 별러 류인수 소장님을 찾았다. 멥쌀술이 잘 안 된다고.

소장님은 대수롭지 않게 "멥쌀은 두 번 찌고 동량의 끓는 물로 하루 삭히셔 야 해요."라고 하시는데, 수업 받을 땐 그런 말씀 없으셨잖아요 했더니, 명주반 3강 때 얘기했단다. 그럴 리가 없는데...... 찾아본 수업 노트에 아닌 게 아니라 동그라미까지 쳐놓은 그 문구가 딱! 기본기도 없이 뭔 술을 빚겠다고...... 겸연쩍은 웃음이 났다.

쌀에 대해 알아야 할 두 가지

하나는 찹쌀은 불투명하다는 것이다. 찹쌀은 과거 조선시대 가양주 문화도 바꿔 놨는데 산가요록(1450년대), 음식디미방(1670년대) 등 조선 초·중기 문헌을 비교해 보면 찹쌀 술 비율이 15% 이상 증가해 찹쌀 사용이 널리 퍼졌음을 알 수 있다.[7] 이런 변화는 술 제조 방법도 단순화 시키는 결과를 가지고 왔으며 현재에까지 영향을 주고 있다. (여러 사람이 사용하는 데는 다 이유가 있다.)

찹쌀에 비해 멥쌀은 단단하여 술 빚기가 어렵다. 따라서 알아야 할 다른 하나는 멥쌀 고두밥 찌는 방법이다. 네 가지로 정리해 봤다.

첫째, 오래 불린다. 최소 10시간 이상 불려준다. 둘째, 오래 찌고 확실히 찐다. 1시간 찌고, 찬물 뿌리며 섞어 준 후, 20분 더 찌는 식으로 두 번 쪄 준다. 셋째, 다 된 고두밥에 같은 양의 펄펄 끓는 물을 부은 후 하루 동안 삭힌다. 이때 주의해야 할 점은 고두밥에 추가로 물이 들어가니 사전에 밑술 물량 조절을 해 두어야 한다. 마지막으로, 찰기가 있는 멥쌀을 사용한다. 찰진 정도는 아밀로스 함량이란 걸로 알 수 있는데, 인터넷에서 쌀 품종 별 아밀로스 함량을 검색해 보면 된다. 한국가양주연구소에선 단백질 함량이 낮으면서 아밀로스 함량이 높은 삼광미를 추천한다.

멥쌀을 잘 다룰 수 있게 되면 우리 술 빚기 스펙트럼이 매우 넓어진다. 개인적으로 술 빚기 초반 반드시 넘어야 할 첫 번째 허들이 아닌가 싶다.

잡곡의 세계

|

멥쌀 호화에 어느 정도 자신이 붙고 나면 잡곡에 관심이 간다. 도정을 하지 않은 현미는 어떤 술이 될까? 보리쌀은 술도 구수하게 나올까? 건강에 좋다는 안토시아닌이 검은콩보다 4배 이상 들었다는 검은 쌀(흑미)로 술을 빚으면 어떻게 될까? 수수로 만들면 고량주처럼 나오나?

스스로 많은 궁금증이 있었지만 초반엔 대부분 실패했다.

성분 표만 보면 아밀로스 함량이 높은데 왜 잘 안될까 고민하다 국순당 박선영 본부장님께 여쭤봤더니, "전분은 참 어려운 항목입니다. 종류 및 특성이 워낙 다양해서 이렇다고 분명하게 정의 내리기 어렵기 때문입니다. (중략) 그렇기 때문에 단순 아밀로스 함량 내지는 아밀로펙틴 함량 만으로는 전분의 특성을 이야기하기는 어렵습니다."라는 답변이 돌아왔다. 내친김에 좀 더 깊은 질문 드렸고, 세 가지 중요한 포인트를 알아냈다.

첫째, 전분 특성에 보면 '호화 온도'라는 게 있는데, 이게 높을수록 호화에 더 높은 온도가 필요하다. 예를 들어, 호화 온도가 86.5도인 옥수수가 63.6도인 쌀보다 호화 시키기 어렵다. 보통 집에서 쓰는 가스레인지는 화력이 약한 편에 속한다. 그보다 높은 인덕션을 쓰거나 고 화력 버너를 사용해야 하는 이유다. 혹시 한 번에 많은 양을 찌고 싶다면 한국가양주연구소에 있는 것처럼 대창스텐 공업사 마하찜기를 고려해 봄 직하다. 알아본 바로는 약 130만 원 정도로 220V, 단상, 3KW라니 가정에서 충분히 사용 가능하다. (단, 전원코드선은 15A 이상 사용) (※업데이트: 고출력 인덕션도 있다. 업소용 인덕션으로 광고 중인데, 3.3KW 15A로 마찬가지로 가정에서 사용 가능할 것 같다.)

둘째, 전분의 특성은 재료의 외피(식이섬유)가 없는 상태를 가정한 것이다. 이 부분이 내가 실패를 거듭한 주된 이유다. 현미, 흑미, 수수는 모두 강한 외피로 둘러싸여 있고 기본적으로 효소는 식이섬유를 분해할 수 없다. 그러니 술이 될 리가. 반드시 재료를 부숴 전분을 밖으로 꺼내 줘야 한다. 다시 말해, 가루를 내서 사용해야 한다.

외피가 그대로인 수수가 보인다

어떤 쌀을 이용할까

많은 양조장이 특별히 이름난 쌀을 사용한다 하지만 지역특산주 면허 조건이 그 지역 내지 인접 지역 농산물만 사용할 수 있어 제약이 클 것이다. 쌀을 선택하고 술의 정체성을 기획했다 기 보단 짧은 선택지에 양조장의 특징을 맞추지 않았을까 싶다. 하지만 소규모 주류면허라면 얘기가 다르다. 농산물 사용 제약이 없기 때문에 전국 어떤 쌀도 사용 가능하다. 예를 들어 서울양조장 서울막걸리는 충북 보은 멥쌀과 전북 김제 찹쌀을 이용한다.

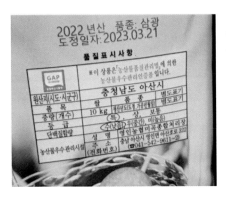

대체로 쌀 선택의 흐름을 보자면, 가양주 단계에서 여러 쌀을 접해보는 게 가장 중요할 듯하고, 내 입맛과 술에 어울리는 쌀을 찾는 노력을 하되, 면허 종류에 따라 전략을 가다듬으면 좋겠단 생각이다. 내 경우 멥쌀은 삼광미를 사용하지만 지역을 가리지 않는데, 가양주주인대회를 계기로 '아산맑은쌀 삼광미'를 접해보고 술 빚기가 수월하고 결과물이 좋아 지금껏 계속 사용하고 있다. 소규모 양조로 창업한다면 계속 사용하겠지만 지역특산

< 자기 누룩 없으면 양조장도 만들지 마라 >

주 면허라면 아산시 내지는 인근 시군 구에 양조장을 차려야 하는데 현실적으로 어렵다. (찹쌀은 아직까진 특별한 브랜드를 이용하지 않지만, 류인수 소장님께서 사용하는 김제 찹쌀, 김제형 소장님께서 즐겨 쓰는 유가 찹쌀을 마음에 두고 있다.)

비슷한 레시피로 크지 않은 차별 점을 찾기보다, 100% 멥쌀, 100% 찹쌀, 1:2 또는 2:1 비율 혹은 적당한 잡곡 사용으로 술의 전반적인 풍미를 다르게 가져가는 게 훨씬 좋은 전략으로 보인다.

일례로 보통 찹쌀 술은 단맛이 강하고 점도가 강해 호 불호가 갈리지만, 밑술, 덧술 모두 찹쌀로 했을 때 호화가 매우 쉽고 물 양 조절에 융통성이 커 독특한 레시피 구성이 가능하다. 실제 술을 빚어봤을 때 청주가 많이 났고 목 넘김이 부드러웠으며 결정적으로 복숭아 향이 나 인상 깊었다.

거실에 쌓여있는 쌀들 (장인 장모님, 고맙습니다~)

물, 술맛은 물맛이라 지만, 옛말이네

인터넷에 떠도는 얘기 하나 해 볼까 한다. 우리가 소주가 잘 받느니, 안 받느니 하는 이유가 소주 제조 공장이 위치한 식수원의 물 맛 때문이라는 얘기가 있다. 대표적으로 참이슬 소주 경우 세 개 공장이 있는데 각각 F1, F2, F3고 경기 이천의 F1은 단맛, 충북 청주의 F2는 쓴맛, 전북 익산의 F3는 약간 쓴맛이 난다고 한다. 그러다 보니 F1 제조 소주를 마시면 술이 잘 받고, F2 소주를 마시면 그렇지 않다고 느낀다는 건데…… 따로 실험을 해 보거나 그러진 않았지만, 신빙성 높은 이야기다. 왜냐하면 소주 도수가 17도라면 물이 83% 들어있다는 말이니 물 맛이 곧 술 맛이라 볼 수 있지 않을까.

오직 쌀, 물, 누룩

지금은 워낙 다양한 우리 술들이 출시되고 있어 좀 덜 듣지만, 처음 우리술을 배울 때만 해도 '오직 쌀, 물, 누룩'으로만 빚는다는 얘기를 정말 많이 들었다. (우리술대축제 가면 한 10개 부스 중 대략 7개 부스에서 맨 처음 소개하는 멘트가 그거다.)

2018년 우리술대축제

어느 하나 중요하지 않은 게 있겠냐마는, 쌀, 물, 누룩 중 물은 주위에서 쉽게 구할 수 있고 재료의 차이를 잘 못 느껴서인지 상대적으로 중요성이 떨어지는 것 같다. 하지만 물 이야 말로 인간이 살아가기에 필수적인 요소이기 때문에 많은 사람들이 관심을 가지는 주제이고, 와인 소믈리에처럼 워터 소믈리에라는게 있고 우리나라 1호 워터 소믈리에가 이미 2011년 처음 탄생되었다. 게다가 한국 워터소믈리에 협회가 2019년 설립되어 정기적인 교육과 자격검정시험을 치는 수준이라니 놀랍다. 그렇다면 우리술을 빚을 때 어떤 물을 사용하면 좋을까?

우리술 빚기 좋은 물

|

술 빚기 좋은 물은 3무가 없어야 한다. 색이 없어야 하고 냄새가 없어야 하고 특별한 맛이 없는 물이 좋은 물이다. 듣고 보면 세상 물이 다 3무일 것 같지만, 실상은 지역마다 물 맛이 다르고, 범 지구적으로 확장하면 물 맛 차이가 어마하게 난다. 게다가 서로 다른 물 성분이 미생물 생육에 영향을 주어 최종 술 품질을 크게 다르게 하므로 술 빚는 물은 신중히 선택해야 한다.

우리 조상님들은 '물은 반드시 끓여 식힌 물을 이용하라'는 기본적인 지침 외에도, 청명수/곡우수 등 특정 절기를 반영한 물, 추로백/정화수 등 이슬을 받아 낸 물 등 좋은 술을 빚기 위해 물을 매우 신중히 가려 쓰는 지혜를 보였다.

그 밖에도 동쪽으로 흐르는 물(동유수), 강의 중앙에서 나는 물(강심수), 바위틈에서 나는 물(석천), 처마 끝에서 흘러내린 물(옥류수), 매화 열매가 누렇게 된 때에 내린 빗물(매우수) 등 이렇게나 세분화 해 놨나 싶을 정도로 다양한 물 이름이 있는데, 우리 조상님들 작명 센스가 느껴지는 것 같다.

한 번은 자주 가는 인터넷 카페에서 '백비탕'이라는 걸 들었다. 백비탕은 동의보감에 기록된 33종 물 종류 중 하나라는데, 물을 끓였다 식히기를 백 번 한 거라 한다. 이렇게 하면 물 분자가 잘게 쪼개져 흡수 속도가 빠르고 경락을 원활히 소통 시켜 준다는데…… 잘 모르겠다. 실제 조선왕조실록에 백비탕이 나온다 해서 검색해 봤다.

정말 나온다! "영조실록 127권, 영조 52년 3월 3일 갑술 9번째 기사 / 임금의 병환이 악화되다." 영조 임금이 돌아가시기 직전 같은데, 탕제를 달여 오랬더니 백비탕을 먼저 드시라는 구절이 있다.

백비탕을 소개한 분은 실제로 술 빚기에 사용해 봤고 술 맛이 대체로 달아지고 감칠맛을 준다니, 역시 물 맛이 중요해 보인다. (그럼에도 불구하고 백 번 끓였다 식히는 건 좀……)

추로백이나 동유수가 좋지만

|

가을 이슬을 받아 술을 빚을 수 있다면 얼마나 좋겠냐마는, 자연환경이 예전만 못하고 (참)이슬만 먹고 사는 사람이 있을 수 있겠지만 술 빚을 만큼 이슬을 모을 수가 있을까 싶다. 대신 <음식디미방> 장계향 할머님 말씀대로 수돗물이라도 끓여 식혀 쓰면 (탕수라고 한다) 문제가 없지만 매번 물을 끓이는 것도 쉽지 않은 일이다.

내 생각에 가장 손쉽게 얻을 수 있는 술빚는 물은 정수기에서 나오는 물이 아닐까 싶다. 웬만한 가정집에는 다 있으니 이용이 쉽고 렌털식인 경우 정기적으로 관리를 해 주니 수질이 나빠질 염려도 없다.

내 경우 일반적인 상황에는 정수기 물을 이용하고 가수를 한다든지 특별히 부 재료를 침출 하는 등 중요한 경우에는 생수를 사다 쓴다.

생수는 어떤 게 좋을까

|

예전에는 생수라고 해 봐야 브랜드가 몇 개 없었지만, 최근 해양심층수니 염지하수니 탄산수니 해서 분류가 늘어났고, 게다가 해외 생수까지 수입되어 선택의 범위가 매우 커졌다. (그만큼 고르기가 쉽지 않다.) 하지만 다행인 게 앞서 언급했던 한국워터소믈리에 협회에서 매년 세계 물의 날(3월 22일)을 맞아 생수 품평회를 열고, 그 결과는 언론을 통해 기사화되고 있으니 참고하여 나에게 맞는 물을 선택할 수 있을 것 같다.

금년도(2022년) 결과를 보면, 종합 1위는 국내 해양심층수 '천년동안 키즈워터'가 차지했고, 국내 생수로는 '지리산수'가 1위를 했다. (정수기 물맛 평가도 2018년 이래 추가되었으니 관심 있는 분은 검색 부탁)

<자기 누룩 없으면 양조장도 만들지 마라>

나는 보통 제주 삼다수를 이용하는데 항상 상위
권에 랭크되고 바쁠 때 동네 마트에 가면 언제나
구할 수 있어 접근성이 좋은 점이 장점이다.

해양심층수나 탄산수는 어떨까

|

물 얘기를 하다 보니 혹시 궁금하게 생각할 수
있는 게, 생수 품평회 종합 1위를 해양심층수가 차
지했는데, 만약 해양심층수로 술을 빚으면 어떻게 될까?

개인적으로 실험해 본 적은 없지만, 해양심층수라는 것이 많은 미네랄을 함유한
물이고 나트륨, 마그네슘, 칼슘 등이 미생물 생육에 도움이 되나 대부분 물질이 쌀,
누룩 등에 포함되어 있어 크게 필요한 요소로 보기 어려울 것 같다. 게다가 소량이
라도 철이나 동 등은 술에 좋지 않은 영향을 미치기 때문에 굳이 비싼 돈을 들여
해양심층수를 쓸 필요는 없을 듯.

탄산수도 같은 맥락에서 볼 수 있는데, 술이 빚어지는 동안 탄산이 유지되지 않을
것 같고, 발효 과정에서 자연스럽게 이산화탄소가 생성되어 천연 탄산이 만들어지
기 때문에 탄산을 목적으로 한 탄산수 사용은 별로 효과가 없어 보인다

수돗물

|

예전에 지금은 돌아가신 삼해소주 김택상 명
인께서 어떤 잡지에 기고하신 글을 본 적이 있
다. 삼해소주를 빚을 때 가장 좋은 물은 천연암
반수지만 도심에서 구할 수 없으니 수돗물을 사
용한다는 게 요지였는데, 여과를 거치는지 나와
있지 않아 오해의 소지가 있다는 생각이 들었다.
(기고 처가 한국수자원공사여서 그랬을까.)

수돗물은 안전하지만 기본적으로 살균을 한 물이고 미생물이 살기 적합하지 않다.
집에서 소량 빚을 때나 쌀을 씻는 용도로 사용할 수 있지만 대규모로 할 때는 반드
시 여과나 연수기를 붙여 염소를 제거한 후 사용해야 한다.

누룩, 탐험의 열정을 자아내는 모티브

우리 술 18급

바둑은 아마(아마추어)와 프로가 있고 아마는 30급부터 시작되나, 보통 바둑 둘 줄 안다 하면 18급부터 보고 그 이하는 바둑이 뭔지 모르고 두는 사람들이다. 정도 의 차이는 있겠지만 그저 상대를 포위해서 돌을 따 먹줄 아는 수준. 양조장을 운영 하는 전문가들을 프로로 보고 나같이 술 빚기를 취미로 하는 사람들(아마추어) 등급 을 매긴다면 우리 술 18급은 아마 누룩이 뭔지 설명할 수 있고, 누룩이 달라지면 술 맛도 달라짐을 아는 수준이 아닐까.

기성 누룩

처음에는 나도 다른 사람들처럼 누룩을 사다 썼다. 재미있는 점은 술 공부를 했던 곳마다 선호하는 누룩이 달랐다는 건데, 진향우리술교육원(현 발효곳간 담)에선 진주곡자, 한국가양주연구소는 금정산성 누룩을 사용했고, 주위 동료들은 보통 송학곡자(소율곡)를 즐겨 쓰는 것 같았다. 최근엔 한영석 누룩이 선풍적인 인기를 끌고 있다.

배운 게 도둑질이라고 나도 금정산성 누룩을 주 로 사용했는데, 왜 연구소에서 그 누룩을 주로 썼 는지는 한 참 시간이 지난 후 알게 되었다. 써보 면 알겠지만 누룩 마다 발효 양상이 다 다르다. 금정산성 누룩은 다른 누룩에 비해 발효가 빠른데 일주일에 두 번 이뤄지는 강의 일정에 잘 맞기 때문에 선택되었다고. (우리술 18급 만만한 게 아니다.)

< 자기 누룩 없으면 양조장도 만들지 마라 >

술 빚기 초반에는 누룩 양을 줄이는데 중점을 두었다. (누룩 양을 줄이면 흔히 말하는 누룩 취가 줄고 재료 본연의 맛과 향을 낼 수 있다.) 보통 이양주 경우 쌀 양 대비 10% 정도 쓰지만 씨앗술을 배우게 되면서 5%로 낮췄고 이후 4%, 3%까지 실험을 했지만 4%가 최선이었다. 과거 조선시대 고문헌을 보면 사용된 누룩 양이 3% 정도인데 쌀 양 대비 3% 정도 누룩으로 술을 빚으려면 누룩 자체 품질이 완전히 바뀌어야 한다. (씨앗술에 대해선 1부 '씨앗술' 참고)

시중 누룩 간 차이를 확인하는 실험을 하기도 했다. 주로 금정산성 누룩을 사용했지만, 진주곡자, 송학곡자, 정철기 누룩, 배금도가 밀누룩/이화곡 등 다양한 누룩을 이용해 술을 빚어 봤는데, 당시에는 술의 상태를 제대로 볼 줄 아는 능력이 부족해 깊이 있는 학습으로 이어지지 못했다. 예를 들어 2019년 4월 산성누룩 대 진주곡자 비교에 대한 내 블로그에는 진주곡자 씨앗술에 대해 이렇게 표현하고 있다.

"색이 좀 더 연하고 냄새가 구수하나 끓는 건 더 얌전한 듯. 발효력이 산성누룩 보다 약한 것 같음"

자기 누룩 없으면 양조장도 만들지 마라

누룩에 대한 생각과 방향이 바뀌게 된 결정적인 계기는 류인수 소장님의 (이 책 부제이기도 한) '자기 누룩 없으면 양조장도 만들지 마라'라는 말씀이었다. 류 소장님은 시중 누룩은 가양주 용이 아니고, 같은 누룩은 결국 비슷한 맛과 향으로 귀결되어 나만의 맛과 향, 즉 나만의 술을 가지려면 반드시 나만의 누룩이 있어야 한다고 틈날 때마다 역설하셨다.

예를 들어 이렇게 설명하면 어떨까?

만약 내가 '내 술은 가벼우면서 깔끔하지만 독특한 향이 있으면 좋겠어'라고 했다면. 보통 밀 누룩은 바디감이 크고 쌀누룩은 바디감이 작지만 달짝지근한 맛이 나며, 밀가루 누룩은 가볍고 라이트하지만 맛과 향이 거의 없는 특징이 있는데, 누룩에 생 녹두를 넣으면 깔끔한 맛이 나고, 익힌 녹두를 넣으면 강한 향이 나는 특징이 있다는 걸 안다면. 따라서 내가 원하는 독특한 향이 있는 가볍고 깔끔한 술을 만들기 위해서는, 밀가루와 생 녹두를 섞고 여기에 독특한 맛과 향을 내는 기장을 포함시킨 누룩을 이용하면, 특별히 부 재료를 사용하거나 향을 가하지 않아도 술이 이미 그런 점을 갖게 되는 것이다.

게다가 대표적인 우리술 풍정사계 이한상 대표님도 '전통술 맛 결정은 누룩이 하는 것, 내 누룩이 있어야 내 술이 있다'고 하셨고, '(결국) 술은 누룩 놀음이다'라는 한국전통주연구소 박록담 소장님 말씀을 전해 주셔서 나도 나만의 술을 빚기 위해 반드시 내 누룩을 만들어 쓰겠다는 다짐을 품게 되었다.

명주반 4강 누룩 만들기

|

한국가양주연구소 우리술빚기 과정은 3개월 과정이고 첫째 달이 명주반이다. 그 중에서 4강이 누룩 만들기니까 누룩은 전체 과정의 거의 초반에 배치되어 있고 보통 어리 버리(?) 할 때 배우게 된다.

돌아보면 누룩 만들기에 크게 어려운 부분은 없다. 당시에도 소장님 말씀이, '레시피가 없다', '이해가 우선이다', '환경에 적응시켜, 판단에 의해 띄울수 있어야 한다' 강조 하셨지만 한 귀로 흘러 들어 손쉽게 다른 쪽으로 빠져 나갔다.

대신 몇 가지 키워드는 남았는데 수분율, 분쇄도가 중요하고, 단단히 밟은 후, 777 법칙에 따라 스티로폼에 넣어 띄우라 했다. 실제로 그렇게 띄운 누룩은 매우 잘 되었고, 혹시 몰라 전체 쌀 양의 6%를 사용했는데 2주 만에 쌀이 모두 삭아 버리는 대단한 힘을 보여 주었다.

참고로 777 법칙은, 첫째 7일은 수분 유지, 미생물 활성화 및 증식, 둘째 7일은 수분 발산, 썩기 예방 그리고 균사가 안쪽으로 들어가도록 하기, 셋째 7일은 건조, 저장성 향상 등으로 7일씩 단계를 나눈 누룩 빚는 방법이다.[8] 역시 자세한 건 <한국 전통주 교과서> 참고.

무작정 덤비기

|

수업 중 만든 누룩이지만, 누룩 만들기에 근거 없는 자신감(?)이 붙은 나는 마침내 나도 누룩을 만들어 사용할 수 있다는 의욕에 불탔다. 인터넷에서 거칠게 빻은 통밀 가루를 구입하고, (생각보다 비싸서 놀랐던) 누룩 틀과 연잎, 솔잎도 준비했다. 배운

<자기 누룩 없으면 양조장도 만들지 마라>

대로 통밀 가루 1kg에 물 350ml를 돌려가며 붓고 잘 섞은 다음 손으로 움켜 쥐어 모양이 유지되고 잘랐을 때 딱 갈라지며 실 같은 게 붙어 나오면 되는데…… 이럴 수가 전혀 모양이 잡히지 않았다. (성형이 안된 이유는 3부에서……)

물이 부족한 가 싶어 붓다 보니 100ml를 더 넣게 되었고, 어찌저 찌 성형이 되어 연잎으로 감싼 다음 솔잎을 스티로폼 박스에 깔고 누룩을 넣었다. 777 법칙에 따르

자면 처음 7일 간 미생물이 활성화되며 증식 되어야 하지만 내 블로그에는 이렇게 적혀 있어 그 당시 안타까웠던 심정을 알 수 있을 것 같다.

"4/18일.

도대체 어떻게 되가는지 전혀 모르겠다. 스티로폼은 눅눅하고 흰 곰팡이가 안 밖으로 누룩이 눌러지고 수분이 너무 많은 것 같아 노끈을 매어 베란다에 걸어 두기 시작"

어디서 보고 들은 건 있어 박스에서 빼 내 체 망에 넣어 베란다에 걸어 두었는데…… 다시 열어 봤을 때 하얀 반점의 곰팡이가 잔뜩 핀 너무나 잘 썩은(!) 누룩을 보게 되었다. 연구소 카페나 유튜브를 보면 누구는 설렁설렁하는 것 같은데도, 황국 균이 피었다는 등 연잎이 정말 좋다는 등 메달아 놓기만 했는데 누룩이 잘 띄어 졌다는 등 얘기가 있는데, 남들은 다 잘되는데 왜 나만 안될까 하는 좌절감이 느껴졌다.

죽으라는 법은 없다더니

|

이런 와중에 눈이 번쩍 뜨이는 공지를 하나 보게 되었다.

"발효아카데미센터 – 전통누룩학교 8기 개강"

게다가 홈페이지에 적혀있는 강의 목표는 절망 속에 한 줄기 환한 빛과 같았다.

"전통 누룩을 처음 또는 체계적으로 접근하려는 분들을 위해 누룩 제조의 이론적인 원리에 입각해 실제 성형 및 발효 과정을 실습을 통해 익히도록 한다. 전통주의 전성기였던 조선시대 대표적 누룩 제조방법인 개방형 누룩의 발효 원리를 현대에 맞게 해석하여 기본기를 습득하고 이를 실무 현장에서 응용할 수 있도록 한다."[9]

역시 세상은 살아 볼 만한 곳이라는 생각이 들었다.

강릉단오제 대한민국 창포주 선발대회, 2020~2021년

강릉단오제 일환으로 대한민국 창포주 선발대회가 2013년부터 개최되는데, 예전 기사를 보니 16년부터 석창포를 나눠주기 시작해 본격 창포주 주제로 대회가 진행된 것 같다. 나는 2020년부터 매년 참가를 하는데, 상반기 대회라 여유가 있고 석창포 외 다른 부 재료는 사용할 수 없어 술 실력 올리기에 더없이 좋다. 과거 모집요강을 보면 특이한 항목이 있는데, 알코올 도수 12도로 맞춰 제출하라 되어 있고 맞추면 가산점이 부여되었다 한다. (2020년부터는 없어졌다.) 왜 그런가 해서 주최측에 직접 전화를 건 기억이 나는데, 출품작의 도수를 맞춰 분별력을 높이려고 했다는 의견과 함께 가산점 제도는 없어졌지만 심사위원들이 그 정도 도수를 선호한다는 말을 들었다. (안담윤 대표님의 대중이 좋아할 만한 맛, 그리고 알코올 도수 12도가 생각났다.)

첫해는 남들처럼 밑술, 덧술에 창포 끓인 물을 쓰고, 고두밥 찔 때 창포를 함께 쪄줬는데, 다 된 술 맛과 향이 그다지 특징이 없었다. 창포가 발효에 도움이 되었을지 모르겠지만, 술이 되는 과정에 다 날아가 버렸던 것. 게다가 12도를 선호한다는 말에 가수를 했더니 더욱 약해졌다. 제출 전 블로그에 적어 둔 문구를 보면 나름 정신 승리를 시전하고 있는데 애당초 입상은 어려웠을 것이다.

'생각했던 것보다 더 드라이하게 됨. 석창포 맛과 향이 아주 약하게 발현. 진하고 단 것보다는 드라이하고 은은한 게 좋을 것으로 생각됨'

두 번째 해에는 창포주 약주가 요강으로 나왔는데, 첫해 실패를 만회하기 위해 부재료 창포를 최대한 각인시키기 위해 노력했다. 일단 쌀 물 비율을 1:0.8로 달게 베이스를 짜고, 창포 달인 물, 고두밥에 같이 찌기 등 기본 작업 포함하여 좀 더 효과적인 방법이 없을까 고민을 거듭했다. 그러던 차 당시 듣고 있던 우리술과정 주인반 수업 중 ＜양주방＞ 창포술에서 힌트를 얻었다.

양주방에는 총 3가지 창포술이 나오는데, 즙을 내어 쓰는 법과 편 또는 송송 썰어 침출 하여 쓰는 법이 수록되어 있다. 다만, 발효 중에 넣는 건 아니고 다 된 술에 추가하는 방식인데 봄이나 여름엔 7일 만에 떠서 데워 먹으라 되어 있다.

나중에 화향입주법이나 주중지약법에 대해 알게 되면서 보통 향을 입히는 방식이 '채주 전 3일 동안' 달아 놓거나 박아 놓는 게 핵심인데, 양주방처럼 7일을 두게 되면...... 아마 당시 심사위원들은 거의 한 약재 수준의 술을 받아보지 않았을까 싶다.

두 번째 도전도 실패.

강릉단오제 대한민국 창포주 선발대회, 2022년

세 번째 해(2022년)에는 앞선 두 번의 실패를 교훈 삼아 술의 밸런스를 목표로 삼았다. 크게 효과가 없었던 달인 물이나 고두밥 같이 찌기는 없애 버리고 적당한 침출을 통한 향미의 밸런스를 맞추는데 주력했다. 다만 술이라는 게 향만 필요한 게 아니어서 베이스가 되는 술 품질 자체가 좋아야 하는데, 천만다행으로 설화곡 나만의 누룩 띄우기에 성공하여 이용이 가능했다. (설화곡 이야기는 3부에 나옵니다.) 설화곡을 이용하면 밀누룩 특유의 맛과 향이 없기 때문에 새로운 느낌을 줄 수 있다. 멥쌀가루에서 나오는 참외나 배향 등 시원한 향미가 술을 고급스럽게 만드는 것이다.

그동안의 노력이 보답을 받은 것인지 운 좋게 장려상을 탔다. 총 76명이 출품해서 8명 입상자가 가려졌는데 우리 술 빚기 시작한 지 7년 만에 상을 받는 것이어서 감회가 남달랐다. 설화곡의 잠재력, 술 밸런스의 중요성을 깨닫는 계기가 되기도 했다. 하지만 가야 할 길이 멀었다는 것도 동시에 느꼈다.

창포주 대회 시상식 날 일반인 대상 시음 행사를 하는데 다른 입상 작들을 마셔보니, 대체로 부드럽고 가벼우면서 크건 작건 산미가 있어 매우 밸런스가 좋았다.

반면에 내 술은 쓰고 독해 시음 용 술이 많이 줄지 않았다.

어떤 어르신이 한 잔 하시곤 아이고 독하네 하시는데 내가 좋아하는 술과 대중이 좋아할만한 술 사이 간격이 얼마나 먼 건지 머리가 아닌 몸으로 느낄 수 있는 정말 귀중한 시간이었다.

<자기 누룩 없으면 양조장도 만들지 마라>

3부. 누룩, 누룩, 누룩

본격적인 누룩 이야기다. 지난 밀 누룩의 처참한 실패를 어떻게 이겨낼 수 있을까? 불타는 열정을 안고 나만의 누룩 찾기를 시작해 보자.

송충성 누룩, 조선시대 방식 그대로

송충성, 그가 소처럼 웃었다!

전통누룩학교 강사 소개 문구에 있던 말이다. '강한 퍼포먼스로 시간 가는 줄 모르는 스타일', '실전 경험과 이론이 보합세', '업계의 기린아'. 송충성 선생님을 표현한 말들이 다소 오버 스럽다는 생각은 강의 시작 30분만에 사라졌다. 누룩의 어떤 점이 이 분을 미치게 했는지 모르겠지만, 하나부터 열까지 오롯이 본인이 직접 경험한 살아있는 이야기들로 강의실이 꽉 채워졌다.

송중성 선생님, 누룩학교 8기 @발효아카데미 카페 사진 캡쳐

개방형 누룩 발효

가양주연구소 명주, 명인반 누룩 수업도 훌륭했지만, 누룩 만을 목표로 한 수업의

<자기 누룩 없으면 양조장도 만들지 마라>

폭과 깊이는 남달랐다. 우선 개방형 누룩 발효에 대한 얘기가 매우 흥미로웠다. 옛날 우리 조상들은 누룩을 모두 처마 밑에 매달아 띄웠다고 한다. 그러던 게 영·정조 시대를 지나며 잦은 금주 령으로 안으로 위축되었고, 일제 강점기 공장 형 대량 생산 방식으로 지금의 밀폐 형으로 바뀌어 왔다. 밀폐 형 방식이란 우리가 송학곡자, 진주곡자, 금정산성 누룩 등에서 보는 것과 같이 누룩 실을 두고 온도와 습도를 조절하며 단을 쌓아 빽빽하게 띄워내는 방식이다.

개방형 누룩 발효 방식은 조선 전기 문헌에 잘 기록되어 있다는데, 수업 중에는 <산림경제>를 한 문장씩 읽어가며 어떤 건지 알아봤다. 중요 키워드로는 '초복 후가 디디기에 가장 좋다'는 것, '연잎이나 도꼬마리잎으로 꼭꼭 싸'라는 것, '여뀌와 녹두 즙을 사용'한다는 것, 분쇄율은 '밀 10말에 밀가루 2말', 아쉽게 수분율은 구체적이지 않았는데 '되게 반죽하여 꼭꼭 밟으라고' 되어있다. (나중에 실습 때 밀 1kg 당 220ml 권장량에 집에 돌아가는 시간 고려 10ml를 더 넣어 성형했다. 한국가양주연구소 실습 시 350ml 또는 300ml를 이용한 것에 비하면 물 양이 매우 적은데, 내 생각에 전용 압착 성형기가 이용되었기 때문이 아닐까 싶다.)

<산림경제> 내용 중 가장 인상 깊었던 게 디디는 시기다. 초복 후에 디디면 따로 수분이나 품온 조절이 필요 없을 만큼 환경이 좋다는 얘긴데, 아닌 게 아니라 그 때쯤 장마가 시작되면서 장마철 높은 습도로 누룩 수분이 천천히 증발되고 큰 일교차가 과도한 품온 상승을 억제하여 곰팡이 살기 최적 상태가 된다. 이후 본격적인 여름철 고온 기에 접어들면, 곰팡이가 균사를 중심부로 뻗으며 효소 활성화가 최대화되어 자연스레 건조 과정으로 이어지는데, 온 자연이 최고의 누룩 실이라 부를 만큼 질 좋은 누룩이 만들어 진다.

조선시대 기후와 현대 기후가 아직 일치하나 싶기도 하고, 그냥 만들어서 달아 놓기만 해도 누룩이 된다는 게 내심 믿겨지지 않았는데, 풍정사계 이한상 대표님 말씀을 듣고 짧은 잣대로 지레짐작한 게 부끄러워 졌다.

"나는 시행착오를 오래 겪었지만, 누룩 만들기는 쉽다. 음력 초복에서 중복 사이, 양력으로는 7월 10일에서 20일 사이에만 만들면 아무런 문제가 없다. 온도, 습도 등이 누룩 만들기에 가장 적합한 그 시기에는 실내가 아닌 실외에서도 만들 수 있다. 누룩을 빚어 처마에 걸어 놓기만 하면 된다. 그 정도로 쉬운 게 누룩 만들기다. 나머지 시기에는 실내에서 가정에서 청국장 만들듯이 하면 된다. 이전에는 어머니, 할머니들이

집에서 누룩을 띄워서 그 누룩으로 술을 빚었다. 그게 왜 어렵다고 하는지 난 잘 이
해가 안 간다. 나는 일년 동안 쓸 누룩을 7월 중순에 다 만든다. 이때가 실외에서 누
룩 만들기에 가장 적합하기 때문이다. 그러나, 이때 누룩을 잘못 만들면 일 년치 술을
빚을 누룩 전체를 망치는 것이기 때문에 늘 조심스럽다. 여러 번 나누어 누룩을 조금
씩 만드는 게 더 안전하지만, 그때 밖에 누룩을 실외에서 만들 수 없어 일 년치를 한
꺼번에 만들고 있다. 그래도 아직 실패는 안했다. 자신 있으니까 이렇게 하는 것이
다."[10]

처마에 걸려있는 누룩 @[한국술 기행] "풍정사계 네 가지 술, 맛이 다 달라요"

기계화, 자동화

|

개방형 누룩 발효 다음으로 누룩학교에서 배운 게 기계화, 자동화다. 누룩을 만들
려면 적당한 분쇄율의 통 밀이 필요한데, 수업 중에는 상단 개폐 형 두유기를 이용
했다. (다양한 분쇄 방법 중 두유기가 가장 좋다고 한다.) 누룩 성형기도 있었는데 자
체 제작한 걸로 보이고 초창기에는 쟈키식을 사용했다는데 지금은 완전 기계식이다.
전용 누룩 실도 있었는데, 집에 가져가서 띄워야 했기 때문에 종이 박스를 이용한
간이 누룩 실에 대해 배웠다.

종이 박스는 우체국 박스를 이용하고 위에 두 개 공기 구멍을 디귿(ㄷ) 자로 내어
열고 닫을 수 있도록 한다. 누룩에는 품온 측정을 위한 온도계를 꽂고, 누룩 실 온

습도를 측정할 온 습도계를 설치한다. 그러면서 매일 변화를 기록할 발효 일지를 적는데, 앞서 말한 개방형 누룩 발효 환경을 흉내 내어 가능한 그렇게 진행되도록 해준다.

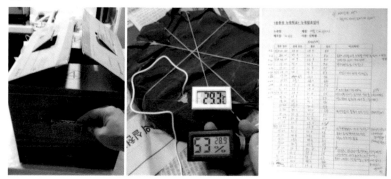

공기 구멍이 나 있는 종이 박스(왼쪽), 누룩 품온 측정 및 누룩 실 용 온 습도계 (중간), 발효 일지(오른쪽)

예를 들어 외부 온도가 높아야 하면 보쌈을 하거나 아래에 전기장판을 깔아주고, 온도가 너무 높으면 위 공기 구멍을 적당히 열어 증발 잠열에 의해 낮춰주는 식이다. (증발 잠열이란 수분이 기화하면서 주위 열을 빼앗아가는 걸 말한다. 우리가 목욕탕에서 나왔을 때 추위를 느끼는 거랑 같은 원리)

누룩 간격 조절을 통해서도 품온 관리를 할 수 있는데, 처음에는 누룩을 서로 가깝게 두어 온도를 올리고 온도가 올라가면 충분히 띄웠다가 나중 후 발효 때 아주 가까이 붙이는 방식이다. 실제로 해 보니 매우 번거롭고 힘든 작업인데, 상업 양조에서도 이렇게 하는가 질문 드리니 최근 스마트 팜(Smart Farm)처럼 모든 게 자동화되어 있어 특별히 사람 손이 갈 일은 없다고 한다. 더욱이 '전통 누룩 제조 장치(송충성, 등록번호: 1018273780 000)'라는 송 선생님 특허를 확인하고 나니 더욱 신빙성이 갔다.

글을 적은 시점에 송충성 선생님은 전남 장성 청산녹수를 떠나 '미음넷증류소'라는 새로운 도전을 하고 있다. 기계화·자동화 범위를 대형 동증류기로까지 확대한 선생님의 건승을 빌어 본다.

밀누룩 띄우기

|

밀과 밀기울을 섞어 만든 누룩 세 덩어리와 연잎, 그리고 우체국 박스를 들고 집으로 돌아와 연잎을 씌우고 박스로 누룩 집을 만든 후 본격적으로 띄우기 시작했다. 시작일이 6월 13일이니 외부 온도가 27도를 넘어가고 있어 띄우기 좋은 조건이었다. 배운 대로 2~3일간 너무 품온이 오르지 않도록 조절하고 이후는 최대한 오른 상태로 유지되도록 애썼다. 4일차 발효 일지에 '구수한 냄새가 남'이라 되어 있는데, 이번엔 정말 제대로 되는 구나 좋아했던 기억이 난다. 일주일 후 띄워지고 있는 누룩을 들고 서초동으로 향했다. 누룩 점검 및 두 번째 수업이 있는 날이다.

송 선생님은 누룩을 하나씩 일지와 함께 확인해 주셨다. 표면의 상태는 왜 그런지, 안쪽은 무슨 이유인지, 잘 된 부분과 아쉬운 부분에 대한 설명이 이어졌다.

내가 가져간 누룩은 겉보기에는 괜찮았는데 쪼개 보니 안 쪽이 빵처럼 되어 있었다. 이른바 젖산 발효다. '구수한 냄새'의 원인을 알 것 같았다. 잘 되어 간다고 좋아했던 게 사실은 누룩이 아니라 빵을 만들고 있었던 것. 전반적으로 수분 양이 많아서 이런 현상이 나타난다고 한다.

나뿐만 아니라 많은 동료들이 많건 적건 젖산 발효가 있었다. 지난 주 누룩 만들 때 어떤 착오가 있지 않았나 의심되는 부분이다. 누룩도 밑술과 같이 초반 젖산균이 득세하지만 수분이 줄어들고 품온이 오르면서 곰팡이가 자리를 잡게 되는데 이번 경우는 젖산균이 이겼다. 수분율 및 품온 관리에 대한 중요성을 깨닫는 계기가 되었다.

밀가루 누룩 띄우기

|

두번째 실습은 밀가루를 눌러 만든 밀가루 누룩이다. 밀 누룩과 다른 점은 밀가루다 보니 물을 붓고 잘 섞은 후 (치대면 안됨) 뭉쳐지지 않도록 믹서기로 갈아낸 후 성형한다.

밀누룩 실패가 매우 아쉬웠던 터라 이를 악물고 덤

<자기 누룩 없으면 양조장도 만들지 마라>

벼다. 36시간 후 주 발효 시작, 9일 째 후 발효 진입, 찜질 팩을 이용한 추가 품온 상승 노력 포함하여 14일 경과 시점에 부수어 숙성 보관하는 순으로 진행되었고, 발효일지 및 진행 이력을 사진과 함께 정리하여 보고서를 만들어 송충성 선생님께 보냈다.

얼마 안되 회신을 받았는데 결론적으로 잘 되었다는 말씀에 안도했다. 한가지 아쉬웠던 점은 밀 누룩은 45도, 밀가루 누룩은 38도가 최대 온도인데 착각해서 40도를 넘긴 기간이 있었고, 고온으로 인한 크랙으로 안 쪽에 포자가 낀 점이다. 송 선생님께 배운 방식은, 하루에 몇 번씩 누룩 상자 온 습도를 관리해야 해서 매우 번거로웠지만 우리 조상들이 했던 것과 같이 띄운다고 생각하니 이해가 쉬웠다. 특히 발효 일지는 그 과정을 시각화 시켜 보여 주어 이해의 폭을 넓히는데 도움이 되었다. 다만, 밀 분쇄기, 전용 성형기 등 적절한 장비가 받쳐주면 좋겠는데 아파트에서 소량으로 빚는 터라 이런 부분은 여전히 장벽으로 남았다.

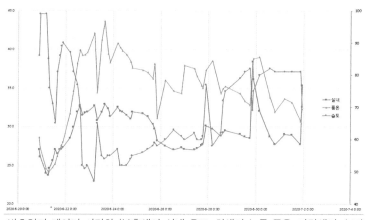

발효일지 데이터 시각화 (분홍색이 실내 온도, 회색이 누룩 품온, 파란색이 습도)

잇따른 밀누룩 실패

밀가루 누룩의 성공은 밀 누룩의 재도전을 불렀다. 따로 분쇄기가 없기 때문에 인터넷에서 '누룩 만드는 통밀'이라는 걸 구입했다. 혹시나 성형에 필요한 고운 입자 양이 적을까 봐 고운체로 쳐 봤더니 30% 정도로 충분해 보였다.

기대되는 마음으로 물 220ml를 붓고 치댄 후 성형을 시도했는데, 예상과 달리 전혀 뭉쳐지지 않았다. 물 양이 너무 적어 보였다. 세 번 부수고 최종적으로 물

430ml가 들어갔는데 (수분계 측정 40%), 왜 이렇게 많은 물이 필요한지 그 때는 그 이유를 몰랐다. 어쨌든 수분이 많다는 생각은 들었지만 종이 박스를 만들고 띄우기 시작했다. 수분이 매우 많이 들어갔기 때문에 어떡해서는 빨리 날려버리려 노력했다.

초제(연잎)를 빨리 제거하고, 공기 구멍도 많이 열곤 했는데, 운 나쁘게 장마 시기와 겹치면서 전반적으로 외부 기온 25도 정도로 품온도 확 오르지 않았다. 주 발효 기간에 누룩 배가 불러오는게 보였고, 예의 '구수한 냄새'가 났다.

그렇다. 또 빵을 만든 것이다. 실패다.

수분이 과다하여 실패한 게 자명했다.

문제는 왜 성형이 안되었냐는 거다. 그 때는 혹시 나는 발로 밟아 디뎠고 누룩학교에선 전용 성형기를 사용해서 그런 게 아닌가 하는 생각을 했다. '성형기가 꼭 필요한 건가……' 한 번 의심을 하니 모든 게 그 기계가 없어서 그랬던 거인 냥 생각이 되었다. 그렇다고 고가의 성형기를 들여놓을 수 있는 상황도 아니고. 혹시나 대안이 될 만한 다른 건 없을까 구글링에 유튜브에 검색을 하던 중 딱 맞는 걸 찾았다. 바로 유압 착즙기다.

초강력 유압 업소용 착즙기

누룩학교 강의 중 과거 송충성 선생님께서도 벽돌 찍어내는 쟈키식 압축기를 이용하신 적이 있다 하셨고, 누룩학교 성형기도 초창기에는 쟈키식을 이용했다 해서 좋은 대안으로 보였다.

국내 압축기(칡즙기)는 너무 비싸 엄두가 않 났으나 중국제는 한 번 해 볼만했다. 결정적으로 유튜브 어느 동영상에서 똑 같은 걸 이용해 누룩을 찍어(?) 내는 걸 보고 마음을 굳히게 되었다. 원리는 매우 간단하다. 3톤 쟈키를 판에 올려 밀어 올리면 위에 지지대가 있어 밑으로 압력이 가해지는 구조다.
(아래 유튜브 캡처 참고)

긴 해외배송을 거처 마침내 받아 든 순간 이제 고생은 끝났다는 안도감이 들었다.

'누룩 만드는 통밀' 1kg에 물 300ml. 누룩학교에선 220ml라 했지만, 명주반 수업을 참고해서 300ml를 넣었다. 치댈 수록 글루텐이 나오면서 성형에 유리하다 하여 열심히 치대 주었다.

자 이제 마른 면 보에 누룩을 올린 다음 착즙기 통에 넣고 쟈키로 압력을 가해주면 되는데......
너무 허탈하게 여전히 성형이 안된다!

정말 뭐가 문제인지는 나중에 한영석 소장님께 여쭤보고 알았다. (실제 수업 때 그걸 들고 갔다!) 내가 인터넷에서 산 통 밀이 전분이 거의 없는 쭉정이만 있어서였다. 충분한 전분이 있어야 물을 흡수하고 치대면서 글루텐이 나올 텐데, 처음부터 양이 적으니 붙을 리 만무했던 것이다. 한 소장님은 누룩 양의 5% 정도 쌀죽을 이용하면 매우 잘 붙고 특히 익은 곡물로 인해 향이 독특해 진다 했는데, 어쨌거나 재료도 제대로 확인하지 않고 삽질만 계속했다니. 내게 무척 화가 났다.

개량누룩과 건조효모, 다신 쓰고 싶지 않아

술만 되면 되는 거 아냐?

잇따른 누룩 만들기 실패와 좌절은 '자기 누룩 만들어 쓰는 사람이 얼마나 돼? 술 개성을 드러내는 방법은 많아', '술만 되면 되는 거 아냐? 다른 것도 좀 알아봐'라는 등 내 안에 속삭임을 키웠다. 그러던 차에 우연히 접한 어떤 우리술 빚기 원 데이 클래스에서 개량누룩과 효모로 밑술을 만들고, 입국과 정제 효소로 덧술을 하는 증류주 레시피를 보게 되었다. 평소 있다는 건 알고 있었지만, 사용량과 비율까지 꼼꼼하게 적혀있는 레시피를 보니 이게 술이 되나 싶었다.

실험에 필요한 레시피를 찾다, 배상면 주가에서 2013년 충북 음성군 농업기술센터와 수행한 '음성 인삼 및 복숭아를 이용한 가양주 제법 개발 사업' 결과 보고서를 보게 되었다.

음성군기술센터 개발 인삼, 복숭아 가양주 @음성자치신문

보고서에는, 여러 전통 누룩과 개량 누룩을 비교한 후 '개량 누룩을 물에 풀어 1시간 이상 담가 둔 후 누룩 물(수곡)에 건조 효모를 넣어 사용'하면 가장 효과가 좋다는 결론을 내리며 상세한 과정을 공개했다.[11] 레시피는 매우 간단했다. 멥쌀 1kg을 깨끗이 씻어 고두밥을 찌고, 물 1.6L(쌀 양 대비 1.6배)에 개량 누룩 7%(70g) 수곡 후 건조효모 5%(50g) 넣어 활성화 시킨다. 고두밥이 식으면 혼합하여 발효시키는데, 부 재료 인삼은 하루 뒤 7%(70g)를 갈아 넣고 6일 후 맑은 술은 약주로 지게미는 막걸리로 마신다 라고 되어 있다. (복숭아는 물량이 1L로 줄고 대신 600g을 사용하는 차이만 있다.)

<자기 누룩 없으면 양조장도 만들지 마라>

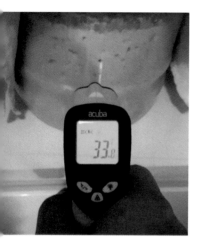

보고서가 매우 구체적이어서 따라하기 쉬웠다. 당일 기록에 보면 '담자 마자 끓는 소리 들림, 34도까지 올라 감. 세긴 센 모양'이라고 적혀 있는데, 꽤 인상적이었던 모양이다. 술은 3주만에 짰는데, 술지게미가 정말 적게 나와 완전 발효의 묘미를 느낄 수 있었다.

인삼을 넣은 술은 인삼 향이, 복숭아를 넣은 술은 복숭아 향이 났는데, 향과 다르게 맛은 텁텁하면 서 쓴 게 정말 별로였다.

아닌가 아니라 보고서에는 약주는 약간의 레몬과 올리고 당을 넣어 마시라고 되어 있는데, 대량으로 만들어 감미료를 넣어 파는 시중 여느 술과 다르지 않아 더욱 씁쓸하게 느껴졌다.

막걸리 키트의 기억

효소제나 건조 효모가 사용되는 다른 대표적인 예가 막걸리 키트다. 네이버 쇼핑에서 막걸리 키트라고 검색하면 900개가 넘는 결과가 검색되는데 오류나 중복을 고려해도 꽤 많은 숫자다. 접근성이 뛰어나고 제품 난이도가 높지 않으면서 첨가물에 따른 차별화를 내기 쉬워 서다.

한 번씩 궁금하긴 했어도 돈을 들여 사 볼 정도는 아니었는데 우연한 기회에 키트를 얻게 되어 직접 만들어 보기로 했다. 내용물도 단출한 데 분말 가루, 꿀, 조미료가 다다. 분말 가루를 열어보니 건조된 쌀알이 약간 보이는데 동동주 스타일의 막걸리를 흉내 내고 있는 것 같다. 가까이 사진을 찍어보니 작은 펠렛 형태의 조각들이 보인다. 조 효소제나 건조 효모가 아닐까 싶다.

분말 가루(왼쪽) 가까이 찍은 사진(오른쪽) 펠렛이 보인다.

만드는 건 정말 쉽다. 약간 미지근한 3배 정도 물에 분말 가루를 타고 몇 일 그냥 두면 된다. 음성 인삼주, 복숭아주의 쌀 양 대 물 양 비율이 1:1.6인 것에 비하면 엄청나게 많은 양(1:3)인데 과연 술이 될까 싶었다.

효소제와 강력한 효모 덕분인지 정말 잘 끓는다. 한참 술이 되는 중에 짜면 장수 막걸리 같은 탄산이 많은 술이 되는데, 한 일주일 정도 두었더니 술이 완전히 익으며 얌전해 졌다. 맛을 보니 시큼털털한게 전형적인 옛날 탁주 맛인데 물 양이 많아 풍미가 살지 않는다. 여기서 대 반전. '조미료'의 투입이다. (실제 키트에 조미료라고 적혀있다.)

조미료라고 특별한 게 아니라 그냥 흰 설탕이다.

혹시나 해서 무게를 달아 봤는데 봉지 무게 포함해 110g이다! 분말 가루가 500g 들어갔는데, 설탕이 쌀 양 대비 무려 22%나 들어가는 것이다. 즐겨먹는 장수막걸리의 비결을 알 것 같았다. (장수막걸리는 설탕 대신 아스파탐이나 합성감미료를 넣고 쌀은 수입산 팽화미를 쓰니, 술을 그냥 찍어낸다고 해도 과언이 아닐 듯) 설탕이 이렇게 들어갔는데도 엄청 달다는 느낌은 없었다. 다만, 흔히 마시는 막걸리 맛이 나서 갈증에 한 잔씩 벌컥 들이키는 건 좋았다. (그런데 그것도 왠지 설탕 물 마신다는 느낌이......)

바른 길로 가자

대규모 상업 양조의 길을 걷거나 특별한 목적에서 어떤 당화제나 발효제도 사용할 수 있다고 본다. 쌀이 당화 되며 나는 단맛이 근본적으로 백설탕 맛과 다르지 않을 것이다.

위 실험에서 쌀 양 대 물 양을 1:1.6 혹은 1:3이 아니라 1:0.8로 했다면 결과가 달라졌을 지도 모른다. 그럼에도 불구하고 누룩만으로 술을 빚을 수 있다면, 굳이 조효소제나 효모를 쓸 이유는 없을 것 같다. 누구나 쉽게 만들 수 있는 건 축복 이기도 하지만 개성이 없다. 누룩의 다양한 성분에서 오는 다채로운 풍미, 그리고 내가 직접 빚은 누룩으로 만드는 나만의 술이라는 가치가 더 중요하기 때문이다.

참고하기

효소 투입 양 계산하기

술 빚기 보조 재료인 효소 투입 양을 참고 삼아 알아보자. 우선 당화력(sp)에 대해 알아야 한다. 당화력이란 전분 1g을 포도당으로 변화시키는 힘을 말하며, 기준 당화력은 찐 쌀 100kg을 정상 발효시키는데 필요한 힘을 의미한다. 2,400,000sp로 알려져 있으며 1g으로 환산하면 24sp가 된다. 각종 효소제의 당화력은 다음과 같다.

입국 당화력은 50sp다. 따라서 쌀 100kg을 당화 시키려면 48kg이 필요하다. 개량 누룩 당화력은 1,200sp다. 따라서 쌀 100kg을 당화 시키려면 2kg이 필요하다. 조 효소제 당화력은 3,000sp다. 따라서 쌀 100kg을 당화 시키려면 0.8kg(800g)이 필요하다. 정제 효소제 당화력은 30,000sp다. 따라서 쌀 100kg을 당화 시키려면 0.08kg(80g)이 필요하다. (그런데, 아래 사진에 있는 Wonderful Winery 정제 효소는 라벨을 보면 1g 당 15,000sp로 되어 있다. 따라서 쌀 100kg 당화에 160g이 필요하다. 라벨은 꼭 챙겨보자.)

그럼 우리 전통 누룩 당화력은 얼마나 될까?

시중 누룩을 사면 뒷면을 보라. 아마도 보통은 300sp 이상이라고 적혀 있을 것이다. 계산해 보면 쌀 100kg을 당화 시키려면 8kg이 필요하다. 그래서 통상 전통 누룩은 쌀 양의 10%를 쓰라고 하는 것이다.

개량 누룩(왼쪽), 정제 효소(Wonderful Winery)(중간), 건조효모(라빠리장)(오른쪽)

한영석 누룩, 너가 미생물이라고 생각해 봐

개량 누룩, 건조효모, 조 효소제의 유혹을 용케 뿌리치고 다시 나만의 누룩 찾기 길로 돌아왔지만 시장 통에 엄마 손을 놓친 아이 마냥 뭘 어떻게 해야할 지, 꼼짝 못했다. 그런데 운 좋게 우리나라 누룩 명인 1호, 한영석 발효연구소 소장님을 때 맞춰 한국가양주연구소 최고지도자 과정에서 뵈었다.

강의 중인 한영석 소장님 @술독 캡처

누룩은 미생물

송충성 선생님이 조선시대 우리 조상님들 누룩 띄우는 방법으로 강의를 시작했다면 한영석 소장님은 미생물로 첫 운을 뗐다. 누룩 역할이 곰팡이를 통한 갖가지 효소와 효모를 제공하는 거라면 누룩은 만드는 게 아니라 곰팡이를 키우는 것과 같고,

결국 그 누룩을 이용한 술이 목적이라 하셨다. 누룩과 곰팡이(미생물), 최종 결과물 (술)과 연계성을 말씀하신 부분이 신선하고 눈이 밝아지는 느낌이 들었다. (한 소장 님 누룩 수업은 상당히 어려웠지만) 모든 걸 미생물 관점에서 바라보니 설명의 앞 뒤가 맞아 들어 흥미로웠다.

핵심 키워드로 분쇄도, 수분량, 성형 모양(강도)가 있고, 추가로 온도조절(계절), 산 소량, 초재, 바람 등이 있는데 서로 밀접하게 연관되어 있고 그 중심에 미생물이 있 다. 마치 7차 방정식을 푸는 것과 같은데 (너무 어려우니) 일단 앞 3개 요소에 대해 생각해 보자. (7차 방정식 답은 3차 방정식부터 푼 다음에……)

미생물이 사는 환경

미생물이 살기 좋은 환경이란 무엇일까? 분쇄도가 낮고 수분이 적으며(적당하며) 성형 강도가 약한 환경이다. 분쇄도는 통 밀을 얼마나 부쉈는가를 의미하는데 120% 라면 20% 정도의 밀가루가 포함되어있다고 보면 된다. (통밀 1kg을 분쇄한 후 중간 체로 쳤을 때 200g 정도 밀가루가 나오는 상태)

분쇄도가 낮으니 중간에 공간이 충분하고 성형 강도도 약해 충분한 산소가 있을 것이다. 곰팡이는 물속(수분이 많은) 환경에선 살 수 없으니 수분 양 이 적으면 쾌적하게 증식이 가능하다. 문제는 살기 좋은 만큼 발효도 빨리 끝날 것이고 정작 효소나 효모 양은 적은 누룩이 된다. 효소는 우리 술에서 전분을 잘게 잘라 당화 시키는 역할을 하고 효모는 그 당분을 먹고 알코올을 만들어내므로, 이 경우 역 가가 낮고 도수가 낮은 술이 된다.

넓고 쾌적하고 마실 물도 적당 하구나! 적당히 놀면서 자식이나 많이 낳아 야지~

어느새 마실 물이 떨어졌네! 자식들만 많아지고 정작 해 놓은 게 없어~

← 쾌적하게 살았더니 포자만 잔뜩~

그럼 미생물이 살기 어려운 환경이란 무엇일까?

앞의 반대로 생각해 보면, 분쇄도가 높고 수분이 많으며 성형 강도가 강한 환경이 다. 분쇄도가 높은 데다 성형을 강하게 하면 내부에 빈 공간이 없고 덩달아 산소도 부족해 살기 어려워진다. 게다가 수분이 많아 먹이 활동에 제약을 받아 발효에 오랜 시간이 걸리며 잘 못하다간 발효가 중단되기도 한다.

하지만 오랫동안 일을 했다는 건 그 만큼 많은 효소와 효모를 가지고 있다는 의미도 되므로, 술을 빚으면 역가가 높고 안정적이며 도수 높은 술이 된다. 언뜻 생각하면 미생물이 살기 좋으면 좋은(역가가 높은) 누룩이 나올 것 같은데, 그렇지 않다니 신기하다.

힘든 환경에 균사를 잔뜩 내렸더니 역가가 높아져~ →

미생물이 살아간다는 의미를 좀 더 알아보자.

누룩을 처음 만들어 연잎 등과 같은 초재로 싸 주면 잎에 붙어있는 야생 곰팡이와 효모가 누룩 표면에 붙어 자리를 잡는다. 곰팡이는 생물이기 때문에 균사를 뻗으며 효소를 분비하여 누룩의 전분을 먹기(자르기) 시작하고 이 과정에 열이 난다. 발생된 열은 공기를 팽창시켜 위로 습과 함께 증발되고, 그 사이로 산소도 공급이 되면서 균사는 계속해서 습을 따라 뻗는다. 곰팡이가 잘라낸 전분(포도당)과 산소는 호기성 환경에서 증식하는 효모에게 좋은 환경으로 마찬가지로 효모 양도 늘어난다. 만약 수분이 많은 데다 천천히 증발된다면 전분을 자르는 활동(효소 생성)과 효모가 증가하는 시간도 많아져 결국 역가 높은 좋은 누룩이 되는 것이다.

온도조절(계절)이라는 변수

그럼 미생물이 살기 어려운 척박한 환경을 만들어 주기만 하면 좋은 누룩이 얻어질까? 방정식 변수를 하나 추가하자. 온도조절(계절)이라는 변수다.

일단 곰팡이가 한 번 살아볼까 느끼게 하기 위해선 시작 온도가 최소 26도는 되어야 한다. 스스로 열을 내는 시점에는 문제가 없겠지만 품온이 떨어지는 시점에는 최소 28도 이상 유지되도록 보온이 되어야 한다. 한 겨울에도 누룩을 띄울 순 있겠지만 쉽지 않은 이유다. 전용 누룩 실이 있으면 모르겠지만 자연을 거슬러 애를 쓸 필요는 없을 것 같다. 온도가 적당한 여름이라도 에어컨이 가까이 있거나 햇볕에 직접적으로 닿으면 미생물이 온도 차이를 느끼며 멈칫거려 좋지 않다고 하니 주의한다.

<자기 누룩 없으면 양조장도 만들지 마라>

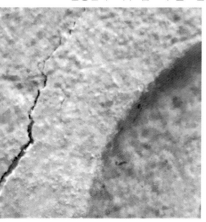

내가 만든 누룩이 어떤 계절(온도, 습도)에 완성되는지에 따라 분쇄율과 수분 양이 결정된다. 외부 습도가 높으면(한 여름) 누룩 내 외부 밀도가 같아져 내부 습이 밖으로 빠져나가기 어렵다. 반대로 외부 습도가 낮으면(겨울) 누룩 내부 습이 강제로 빨려 나가 누룩이 갈라진다.

크랙은 누룩이 태양빛을 직접 받는 경우 갑작스럽게 수분이 튀어나가면서도 발생하는데, 크랙이 발생하면 해당 면은 누룩 표면과 같이 효소가 없고 잔여 수분에 발효 취가 배어 장내, 군내가 있는 좋지 못한 누룩이 된다.

참고로 사람들이 말하는 누룩취라는 건 밀기울로 인한 냄새로 발효 취와는 다르다. 한 소장님께선 밀을 도정해 사용하는데 밀기울 취를 없애고 가려져 있던 밀 고유의 향을 꼬집어냄과 동시에 밑술을 거를 필요가 없어 좋은 아이디어란 생각이 들었다.

위 내용을 볼 때, 누룩은 어느 정도 바깥 온도가 오르는 4월부터 띄울 수 있고, 지난 송충성 누룩 편에서도 얘기했지만 햅밀을 이용해 초복 전후 띄우는 게 가장 좋겠다. 이땐 낮은 분쇄도로 수분을 많게 또는 분쇄도를 높이되 중간 정도 수분을 넣어 띄우면 된다. 분쇄도가 낮으면 수분 증발이 잘되니 좀 많이 넣는 것이고, 분쇄도가 높으면 증발이 천천히 되니 수분을 적게 넣는 것이다.

예를 들면, 한 여름 장마가 끝난 낮은 온도, 높은 습도에서 높은 온도와 중·고습의 한여름으로 이동하는 시점에 있다고 할 때, 분쇄율을 120~130%로 낮게 해서 곰팡이 생육을 높이고, 수분을 평균 45% 정도 주어 빠른 수분 증발과 함께 곰팡이 진행속도를 조절하면 좋을 것이다. 다만 낮은 분쇄도로 인해 잘 안 뭉쳐지므로 성형 강도는 최대로 해서 밟아줘야 한다는 말이다.

한 여름에는 말했듯이 고온고습으로 누룩 시작하기 좋지 않고 가을(추분이 지난 시점)은 추곡이라 해서 좋게 본다는데, 초반 높은 온 습도에서 빠른 발효가 진행되면서 후반 발효에 낮은 온 습도로 점차 발효가 늦어지며 적당한 역가와 향을 가질 수 있어서다. 당연히 겨울철은 성공률이 낮기 때문에 억지로 띄울 필요는 없겠다.

자전거를 직접 타봐야 안다

간단한 듯 (다 아는 것처럼) 적어 놨지만, 발효 조건, 외부환경 등 변수가 많아 실제 매우 복잡하다고 한다. 분쇄도, 수분량, 성형 강도 중 두 가지 변수를 고정시키고 하나만 조절하여 실험하면서 이해의 폭을 넓히고 이후 하나씩 변수를 늘려 보라는 조언을 해 주셨는데 공감이 되었다. 그러면서 자전거 타는 법에 빗대어 실행의 중요성에 대해 말씀해 주셨다.

자전거를 못 타는 사람한테 넘어지지 않는 방법을 아무리 설명해도 알아듣지 못하지만 직접 자전거를 타보면 굳이 설명하지 않아도 아는 것처럼 여러 번 누룩을 띄우다 보면 어느 순간 딱 감이 오는 시점이 있다고 한다.

두 번에 걸친 강의에서 한 소장님은 '관심을 갖되 성급 함은 버릴 것'을 여러 번 강조했다. 누룩이 다 되었다는 건 누룩 속 수분이 완전히 날아갔다는 걸로 알 수 있는데 그 시점이 될 때까지 인내심을 갖고 (절대 중간에 빠개지 말고) 기다릴 필요가 있다는 것이다.

예를 들어, 밀 1kg에 물 250ml가 들어갔다면 기본적으로 들어간 물은 모두 날아가야 하고, 더하여 누룩이 띄워지는 중에 곰팡이 먹이 활동으로 전분(고분자)이 당으로(저분자로) 변화하는 과정에서 약 20%의 무게 감소가 추가로 이뤄진다. 따라서 최종적으로 누룩 무게가 800g이 되면 완전히 끝난 것이다.

누룩 띄우기에는 스티로폼보다는 우체국 종이박스가 좋다는데, 이틀에 한 번씩 뒤집어 줄 때를 제외하곤 완전 밀봉하여 사용한다. 종이박스 자체가 습을 먹고 바깥으로 증발시키는 훌륭한 누룩실 역할을 한다. 쌀누룩은 3호 박스에 1kg, 밀 누룩은 2호 박스에 1kg이 적당하다. 초복 전후 띄우는 누룩은 옛날 조상님들은 그늘진 바람 잘 드는 처마 밑에 달아 띄웠는데, 바로 달기보다는 3일 정도 접종 후 열이 나면 초재를 제거하고 양파 망에 넣어 걸어두면 된다 한다.

밀 500g에 수분율 30%(150ml)로 만든 개떡 누룩, 무게를 달아보니 420g으로 수분은 모두 날아갔고 추가로 16% 정도 무게 감소가 이뤄짐 →

개떡 누룩

|

<자기 누룩 없으면 양조장도 만들지 마라>

지도자반 수업에는 '개떡 누룩'이라 불리는 걸 실습했는데, 기존에 알고 있던 통상적인 밀 누룩과 달라 처음엔 좀 당황스러웠다. 그러고 보니 사이즈에 연연하지 말자는 말씀이 생각난다. 누룩을 빚는 계절과 완료 시점을 고려하여 미생물 관점에서 어떻게 잘 살려 끝까지 들어가게 하느냐가 핵심이다.

개떡 누룩은 분쇄율 135%에 수분율 30%, 성형 강도는 중이면서 모양은 500g으로 작고 얇게 만든다. 성형 강도가 높지 않기 때문에 빵 틀 같은 걸 이용해 손으로만 해도 충분하다. 다만 밀이 수분을 완전히 빨아들여 글루텐이 나오도록 치대 줘야 하니 주의한다.

조금 높은 분쇄도와 수분율이 곰팡이 생육을 어렵게 하므로 성형 두께를 얇게 하면 가을이 깊어지면서 잘 마를 것이며 25~30일이면 완전히 습이 날아가 완료된다 한다.

실제로 크게 어려움 없이 개떡 누룩을 띄웠고, 여산 호산춘 빚을 때 사용해 봤는데 당화, 발효 힘이 엄청난 데다 반생반숙 형 밑술과 만나 수시로 넘치는 등 애를 먹었다. 한 가지 아쉬운 게 누룩이 역가가 높고 효모가 많아 술 맛이 써진 건데, 나중에 한 소장님께 여쭤보니 효모 증식이 많아지고 증식된 효모가 죽으면서 생긴 현상이라 한다. 조절하는 방법은 효모가 많을 때는 밑술에서 저어주지 않는 방법, 누룩 량을 줄여 당화를 억제하는 방법, 품온을 낮추는 방법 등이 있다니 좋은 경험이 되었다. 어쨌든 쓴맛은 2달 빈 정도 둔 후 짜 내니 많이 줄어들었고, 냉장 숙성하면서 오히려 약간 쓴 맛이 내 입에는 매우 맞아 기분 좋은 훌륭한 술이 되었다. 강의 중 한소장님께서 역가가 높은 게 능사일까, 효모가 많은 게 정말 좋은 것일까 하는 고민을 말씀하셨는데 너무 좋아도 문제라니 누룩의 세계가 참 어렵구나 하는 생각이 들었다.

개떡 누룩의 등장은 떡 누룩에 대한 부담감을 한결 더는 계기가 되었다. 그리고 누룩이 곧 미생물이라 생각하며 들여다보니 비록 눈에 보이지는 않지만 어떤 일이 벌어지고 있는지 그림이 그려졌다. 자전거를 직접 타 봐야 넘어지지 않는 방법을 익히는 것처럼 좀 더 많이 더 자주 누룩을 빚어야 하는데, 통밀 구매, 적절한 분쇄 등 재료 측면에서 여전히 허들이 있는 건 아쉬울 따름이다.

류인수 누룩, 하얀 눈 위에 내린 흰 꽃같은

떡 누룩 대안

오랜 기간 떡 누룩에 떡이 된 나는 마침내 누룩의 대안을 찾기 시작했다. (개량 누룩, 정제 효소, 건조효모 등은 당연히 제외하고) 제일 먼저 눈에 들어온 건 흩임 누룩이었다. 누룩 성형에 학을 떼서인지 대안이 있다면 가능하다면 '눌러' 만들지 않고 '흩여' 만들고 싶었다.

가장 널리 알려진 흩여 만드는 방식은 단연코 입국이다. 쌀누룩 이라고도 하는 입국은 기존 우리나라 대부분 양조장과 일본 사케 제조에 사용하는 방식으로, 고두밥에 황국이나 백국균 등 특정 균을 접종하여 만드는 당화제다. 효모는 따로 넣어줘야 하는데, 이전 글에서 말했듯 입국과 효모 만을 사용한 실험 결과가 정말 별로였기 때문에 고려 대상에서 바로 제외 시켰다. 그런데 그 와중에 재미있는 사실을 하나 알게 된다. 우리 조상 님들도 입국처럼 고두밥에 곰팡이를 띄워 만들어 썼다는 것이다.

1450년께 궁중 어의 전순의가 저술한 〈산가요록〉 연화주 제조법을 보면

'바닥에 쑥을 깔고 그 위에 닥나무 잎을 깐 다음, 푹 찐 멥쌀 석 되 분량을 펼쳐 놓고, 그 위에 닥나무 잎과 쑥을 덮는다. 7일이 지나면 그 덮은 풀잎을 걷어내고 잠시 뜨거운 기운을 날려 그릇에 담아둔다. 3일 뒤에 멥쌀 한말을 무르게 쪄서 식으면 앞서 만든 배(누룩)와 섞어 항아리에 넣는다. 7일이 지나면 열어 쓴다. 양의 많고 적음은 이 방법을 짐작해 하면 되고, 연잎을 아래위로 깔아도 된다'[12]고 되어 있다.

연화주국 @삶과 술 128호 기사 중 캡처

허시명 막걸리학교 교장님 소개에 따르면 흡사한 내용이 19세기 중반 기록된 <역주방문>에도 나와 있어 이런 방법이 조선시대에 소통된 기법이라 볼 수 있다 한다. 눈치 챘는지 모르겠지만, 입국과 연화주국 간 차이는 우리는 특정 균을 접종하는게 아니라 쑥, 닥나무 잎, 연잎 등을 이용해 자연스레 주변 곰팡이가 고두밥에 앉도록 하여 만들었다. 이는 보통의 떡 누룩을 만드는 것과 개념적으로 다를 바 없다.

비슷한 사례를 조선시대가 아니라 현대에서도 찾을 수 있었다.

시골빵집 와타나베씨

|

<시골빵집에서 자본론을 굽다>는 2014년 출간되어 베스트셀러가 된 일본인 와타나베 이타루씨의 빵집 창업 이야기다. 생뚱맞게 시골빵집 얘기를 하는 이유는 와타나베씨가 자기 빵에 사용되는 효모로 자기만의 천연 누룩 균을 갖기 위한 과정이 책 속에 자세히 들어있기 때문이다.

와타나베씨도 처음에는 다른 이들과 마찬가지로 시판 중인 천연 효모를 이용했는데 이게 일반 이스트와 다르지 않은 일종의 브랜드란 걸 알고 사용을 중지했다. 이후 주변 된장 회사의 천연 누룩을 얻어 쓰다 결국 스스로 균을 얻겠다고 결심했는데, 그 과정이 재미있다.

맨 먼저 균을 얻기 위해 찾은 곳은 집 뒤편 대나무 숲이었단다. 왠지 거기 좋은 균들이 많을 것 같아 서라고. 그런데 누룩 꽃은 금방 폈지만 너무 신 맛이 나서 사용할 수 없어 실패. 이후 벼 이삭에 균이 많다는 얘길 듣고 시도해서 또 실패, 우리나라 막걸리에 좋은 균이 들어 있다 해서 썼지만 안되는 등 실패를 거듭했다.

그 사이 쌀은 자연 재배한 유기농 쌀로 바꾸고, 누룩 띄우는 판도 플라스틱이 아닌 대그릇으로 변경하는 우여곡절을 통해 균이 살 만한 환경이라는 성찰을 하게 된다. 예전에 한영석 소장님께서 누룩을 옆에 두고 소독을 하거나 하면 제대로 안된다 하셨는데 같은 맥락으로 이해되었다. 와타나베씨는 시행착오 끝에 결국 자기 집안

<자기 누룩 없으면 양조장도 만들지 마라>

에서 마음에 드는 녹색 곰팡이를 발견했다. 그렇게 찾아다니던 균이 자기 집안에 있었다는 걸 깨닫고 허탈해 하면서도 기뻐하는 장면이 있는데 어쩐지 남 일같이 않았다.

　그리고 2021년, 7년 만에 다시 나온 신작 <시골빵집에서 균의 소리를 듣다>에서 와타나베씨는 마침내 자기 균으로 맥주 만들기를 해 낸다. 발효라는 관점에서 천연 누룩 균 사용, 자기만의 균을 갖기 위한 다양한 실험, 결국 발효의 종착지 술(맥주)에 이르는 과정을 보고 있자니 내가 가야할 길이 보이는 것 같았다.

다루마리의 맥주 @THE JAPAN BEER TIMES, 2016 기사 캡쳐

쌀 흩임 누룩

|

　다시 국내로 돌아와 흩임 누룩 사례를 찾아보면, '술빚는 전가네' 양조장 대표이자 한국가양주연구소 선배이시기도 한 전기보 대표님께서 2020년 12월 조선비즈 '박순욱의 술기행' 기사에서, 누룩은 어떻게 만들어 쓰냐는 질문에 대한 답에서도 만날 수 있다.

　"일반 누룩은 압착 식 누룩이다. 메주처럼 손이나 발로 꾹꾹 눌러 형태를 만들어 발효시키는 방법으로 만든다. 압착 식 밀누룩이 주류를 이루는데 요즘 양조장에서는 쌀흩임 누룩도 많이 쓴다. 밀 누룩과의 차이점은 맛이 깔끔하고 맛의 편차도 작다. 이게 사실 일본 사람들이 만든 누룩인데, 일본이 누룩 표준화를 잘하기 때문에 사케에 이 누룩을 쓴다. 문제는 우리 양조장이 쓰는 쌀 흩임 누룩을 입국이라 하고 그 입국들은 전부 고두밥에다 곰팡이를 넣는데 그 곰팡이가 일본 곰팡이다. 일본 곰팡이를 넣어 누룩을 만들어 술 발효에 쓰는데, 이것을 입국이라 한다. 그런데, 우리 쌀 흩임 누룩은 똑같이 고두밥에 일본 곰팡이를 넣지 않고, 우리 고유의 앉은뱅이 밀가루를 코팅한다. 이렇게 누룩을 만드는 건 우리가 유일할 것이다."[13]

정리하면 고두밥에 앉은뱅이 밀가루를 뿌려 만든다는 것인데, 밀가루 안에 포함된 다양한 미생물이 증식되면서 누룩과 같은 역할을 한다고 볼 수 있겠다.

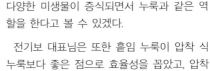

전기보 대표님은 또한 흩임 누룩이 압착 식 누룩보다 좋은 점으로 효율성을 꼽았고, 압착식 누룩은 만들기가 너무 어렵고 힘도 많이 들면서 밀도가 워낙 높아 잘못될 확률도 높고 특히 수분 조절이 세밀 해야 하는 반면, 흩임 누룩은 당화력이 크게 떨어지지도 않고 만들기도 훨씬 수월하다고 하신다.

← 술빚는 전가네 흩임 누룩 @<농식품 소비 공감> 기사 중

이쯤 되니, 쌀 흩임 누룩이 밀 떡 누룩을 대체할 수 있겠다는 강한 확신이 들었다. 다만 떡 누룩과는 달리 정확히 어떻게 만들어야 하는지 몰라 애먼 구글링이나 유튜브를 들락날락하던 중, 류인수 소장님이 만든 서울막걸리 출시 소식을 듣게 된다.

서울막걸리

|

여러모로 충격이었다.

서울막걸리는 일단 우유병을 연상시키는 앙증맞은 병에 빨간 색 크라운 캡을 씌웠다. 가만있자…… 우리 술에 그것도 탁주에 크라운 캡이 씌워졌던 적이 있었던가? 게다가 전용 디켄터가 함께 제공되는데, 맑은 술과 지게미를 원하는 대로 섞어 마실 수 있도록 했고, 특히 맑은 술 위로 지게미를 부으면 마치 뭉게구름이 이는 것처럼 술이 섞이며 시각적인 쾌감을 선사했다. (술 이름이 서울이고, 라벨이 남산, 한강,

<자기 누룩 없으면 양조장도 만들지 마라>

태양을 상징하는 심볼이라는 사실은 차라리 애교에 가까웠다.)

무엇보다 서울막걸리는 '당연히' 자가 누룩을 이용했고 이름이 '설화곡'이다. 흰 쌀가루 위에 핀 하얀 곰팡이가 마치 눈이 내린 듯한 모양이라 설화곡이라 했다는데, 아닌 게 아니라 인스타에 올라온 사진은 눈이 소복이 쌓인 모습과 다를 바 없다.

누룩 위에 내린 설화 @서울양조장 인스타 캡쳐

그런데, 설화곡은 흩임 누룩인가?

설화곡

|

설화곡은 멥쌀 흩임 누룩이다. 게다가 난 이미 두 번이나 어떻게 만드는지 배웠다? 이게 어떻게 가능한 이야기냐면, 한국가양주연구소 우리술 과정은 이전에 말했듯이

명주, 명인, 주인 이렇게 3개월 과정인데, 명주반에서 밀 누룩을 배운다면, 명인반에선 쌀 누룩 이화곡과 설화곡 만드는 방법을 알려준다. 내가 우리술 과정을 시작한게 2016년 12월이고 비록 명주·명인반만 하고 말았지만, 그 때 한 번 배웠던 것이다. (엄밀히 말해 내가 그 수업을 들었다는 사실은 오래된 네이버 밴드 동영상 속 익숙한 얼굴이 있었던 것!)

두 번째는 한국가양주연구소 지도자 과정에 들어가려면 우리술 과정 졸업장이 필요한데, 마지막 주인 과정만 듣기 보다 전체 과정을 다시 한 번 들어보자 해서 2021년 1월 한 번 더 이수하면서 다시 배우게 되었다. 이번에는 절대로 잊어버리지 말아야지 해서 모든 과정을 동영상으로 찍었고, 류 소장님 말씀을 한 자도 빼놓지 않고 꼼꼼히 적어 두었다. (내 실험 결과를 포함한 전체 만드는 방법은 4부에 수록했으니 참고하기 바란다.)

서울탁주도 보고, 어떻게 만드는지도 알지만, 정작 이걸로 술이 될까 하는 의구심이 컸다. 과정이 너무 너무 너무 간단했던 것이다. 의구심을 푸는 방법은 오직 한 가지. 직접 해 보는 것이다. (손은 머리에 앞선다!)

잇따른 실패

쉽다고 생각했던 설화곡 마저 연속 두 번 실패하고 나니 멘붕이 왔다.

첫번째 실패는 사소한 실수에서 비롯되었다.

지금은 집에 쌀 빻는 기계(돌로라)가 있지만 늘 쌀가루는 동네 방앗간에 가서 내려 오곤 했다. 마음이 급했던지 쌀가루를 체 치지 않고 바로 넣고 띄웠다. 정말 소장님 말씀대로 쌀가루 넣고 그냥 몇 일 두면 근사한 누룩이 될 거라고 생각했던 것일까? 결과는 대 실패. 혹시 시궁창 냄새 맡아 본 적 있는가? 군데 군데 녹색 점들이

오후 2:35

류인수 소장
너무 질게 된 부분이 있는것같아요 ^^ 수분을
충분히 빼고 채로쳐서 다시 한번 해보시죠~

오후 2

<기기 누룩 없으면 양조장도 만들지 마라>

생기더니 고약한 냄새가 났다. 품온은 올랐지만 썩은 곰팡이를 키우고 있는 격이었다.

알고 있다고 생각했던 간단한 것들을 막상 실행 단계에서 놓치거나 틀리고 보니, 역시 기본이 중요하다라는 것을 다시 한 번 깨닫게 됐다. 심기일전하여 바로 다시 도전. 이번엔 수분을 충분히 날리고, 뭉친 부분이 없도록 중간 체로 잘 쳐서 사용했다. 또 기존에 배웠던 밀누룩 처럼 하루 한 번 이상 열어보고 혹시 수분이 맺혀 있으면 위 아래 닦아 주었다. 하지만 이번에도 실패였다.

어찌나 실망했던지 그날 블로그엔 아쉬움이 가득했다.

"품온이 오르기 시작하는데......
옅은 노란색에 약한 시궁창 냄새......
실패의 기운이 느껴진다.
근본적인 개선 대책이 필요할 듯
그냥 둔다고 누룩이 되는 건 아닌 것 같아......"

실패의 원인을 찾기 위해, 내가 어떻게 했는지 하나부터 열까지 모두 기록했다. 복기를 하다 보니 하나씩 문제가 될 만한 것들이 보였다.

우선 주변 온도. 16년 강의 때는 20도에서 25도 사이면 잘 뜬다고 했지만, 21년 강의 때는 24~25도로 셋팅되어야 하고 낮으면 보온이 필요하다고 했다. 지도자반 한영석 소장님 강의 중 누룩이 띄워지는 최소 온도를 26도라고 말씀하신 걸 볼 때, 누룩이 되려면 어느 정도 외부 온도가 되어야 하는 게 확실하다. 최초로 설화곡을 시도한 게 3월 13일이니 외부 온도가 충분히 높지 않았을 것이다. 일단 하나는 확실해졌다. 누룩 띄우기 초기 온도는 25도 이상 되게 할 것. (안정적으로 하려면 26도)

다음은 씨 누룩 사용이다. 한국가양주연구소는 온 천지가 술이고 누룩이니 항상 술에 필요한 미생물이 있지만, 나는 그렇지 않을 수 있다는데 생각이 미쳤다. (쉽게 말해 떼루아가 척박한 것이다.) 보통 떡 누룩의 경우 주변에 초재를 깔거나 덮고 누룩을 연잎 등으로 싸서 균을 유도하지만 흩임 누룩은 그게 안 된다. 따라서 씨앗이 되는 누룩을 조금이라도 넣어 줘야 한다. 고운 가루 형태로 쌀 양 대비 1% 넣어 주라던 류 소장님 말씀이 떠올랐다.

마침내 성공 (설화곡 #1)

삼 세판 만에 마침내 설화곡 띄우기에 성공했다! 당시 기록에 따르면, 시작한지 약

32시간이 되는 시점이 '냄새가 누룩과 상하기의 딱 중간 지점'이라고 되어 있다. 다시 말해, 적당한 온도와 씨 누룩이 부패의 고비를 간신히 넘어 발효의 영역으로 들어선 것이다. 비록 눈에 보이지는 않지만 미생물의 움직임이 피부로 느껴졌다.

어찌나 기뻤던지 한 고비를 넘긴 후 류인수 소장님께 보낸 메일 말미에는 다음과 같이 적혀 있었다.

"류인수 소장님.

사실 밀 누룩의 경우 연구소나 학원에서 만들어 성공한 것 제외하고 제가 직접 더 더 성공한 적은 없었습니다. 그런데 이번에 설화곡이 아직 성공 여부는 모르지만 세 번째 만에 그래도 망치지 않고 진행이 되고 있어 얼마나 좋은지 모르겠습니다.

부디 최종 술이 나오는 그 날까지 잘 되었으면 좋겠고, 바쁘신 줄 압니다만, 소장님께서도 관심 가지고 봐 주시면 고맙겠습니다.

김혁래 드림."

<자기 누룩 없으면 양조장도 만들지 마라>

▶ 우리술대회 출전기 ③

전국 가양주 주인선발대회, 2020년

명실상부한 국내 최대 우리술 대회다. 2021년 참가 팀 수가 207개 팀이라는 기사를 봤는데 규모가 짐작된다. 게다가 본선 진출 작에 한해서긴 하지만 알코올 도수, 당도, 산도를 분석해 줘서 좀 더 객관적으로 내 술의 위치를 알 수 있게 해 주는 점도 남다르다.

나는 2019년부터 매년 참가했는데, 첫 해는 출품 자체를 못했고, 두 번째 해는 본선에는 진출했지만 입상에는 실패, 세 번째 해는 장려상 수상, 그리고 마지막 지난해(2022년)는 본선 진출을 못했다. 입상 여부와 관계없이 주인선발대회 출품작 분석을 통해 내가 배운 것을 정리해 보고자 한다.

김혁래 多精

누룩양을 쌀 양 대비 4%로 최소화하고 드라이 호핑 기법으로 다양한 향을 입히는 방식으로 술 제조.

알코올(%) : 17.4 | 당(°Br) : 15.1 | 산도(%) : 0.321

2020년 본선 진출 시 입선작에 대한 리플릿을 받았는데 각 술 소개와 함께 분석 결과가 포함돼있다. (위 내 술 소개 참고.)

2020년은 순곡 약주와 가향 약주 두 부분으로 진행되었고, 총 176개 팀이 신청해서 15개 술이 상을 받았다. (난 가향 약주 부분에 도전했다.) 본선에 오른 가향 약주 부 재료를 보면 솔잎, 연잎, 송순, 황칠나무, 해당화/열매, 토종 진피(말린 귤 껍질), 장미, 오미자, 가평 잣, 귤, 사과 등이 있고 향온국과 연화주곡을 사용한 게 눈에 띄었다. 다양한 가향재가 사용되었지만 실제 입상은, 홉, 목련 꽃, 귤피(귤 껍질), 솔향(솔잎/송순)만 뽑혀, 연잎이나 열매 류는 크게 임팩트가 없어 보였다. (연잎은 너무 보편적이어서, 열매는 생각만큼 향이 배이지 않아서가 아닐까 하는 생각을 해 봤다.)

홉을 사용한 게 2개나 있어 가향 효과가 크다는 걸 알게 되었고, 귤의 시트러스함이나 솔에서 느낄 수 있는 풀과 나무 또는 숲 향이 우리 술과 잘 어울린다는 것도 보여줬다. (참고로 홉은 팰렛 형태는 법적으로 사용할 수 없고 열매로만 첨가가 가능하다.)

상을 받은 술들의 당도가 18.55 브릭스에서 27.51 브릭스까지 배치되어 있는데, 내 술 당도가 15.1 브릭스이니 입상주가 꽤 달다는 걸 알 수 있고 좀 달아야 입상 가능성이 높아진다는 추측이 가능했다. 그 밖에 순곡 약주 입상주도 분석을 했는데 삼양주가 많아 역시 수고한 노고에 비례하여 좋은 술이 나온다는 걸 다시 새기게 되었다.

전국 가양주 주인선발대회, 2021년

다음 해인 2021년은 내가 설화곡을 이용해 장려상을 받은 해다. 창포주 대회와 마찬가지로 설화곡이 한몫 했다. 지난해 분석 결과를 참고하여 삼양주로 만든 건 좋았는데 왜 이렇게 드라이하게 나왔는지 모르겠다. 리플릿에 소개된 내 술 설명이다.

"흩임 누룩 형태의 자가 제조 누룩 사용, 삼양주 법으로 제조.
알코올(%): 17.2, 당(Br): 11.8, 산도(%): 0.31"

당시 블로그를 보면 출품주 병입 시 분명 18.5 브릭스로 맞춰 냈는데 그 사이 발효가 더 되었는지 내가 잘 못 측정한 것인지…… 지금껏 모를 일이다. (좀 더 달았다면 동상을 받았을까?)

어쨌든 지난해에 이어 입상주들을 분석해 봤다. 상을 받은 총 14개 술 중 명시적으로 석탄주라 밝힌 게 4개로 역시 달콤하면서 부드러운 술이 좋은 성적을 낸 것 같다. (석탄주는 밑술을 죽으로 하고 쌀:물 비율이 1:0.8인 대표적인 달고 부드러운 술이다.) 특이했던 게 알코올 도수인데, 탁주 입상 작 대부분이 알코올도수 16도 이하고, 특히 금상작은 11.8도에 23.3 브릭스에다가 산도가 0.62로 가장 높았다. 한마디로 매우 가벼우면서 달고 신 술이라는 건데, 창포주 대회에서 느낀 것과 같이 독하고 쓴 술보다는 가벼운 술이 대세인 것 같다. 그리고 여기다 강한 산미가 따라붙는 것 같다.

<자기 누룩 없으면 양조장도 만들지 마라>

밑에서 두 번째 수준의 당도(11.8 브릭스)와 가장 낮은 산도(0.31%)를 가진 내 술이 그나마 입상한 건 오롯이 설화곡 효과로 생각되고, 이번 대회를 통해 내 입맛에 맞춘 술을 낼 것인가 심사위원 기호에 맞춘 술을 낼 것인가 하는 고민이 더해졌다.

4부. 나만의 누룩

 길었던 여정의 끝에서 만난 설화곡이 내가 찾던 누룩이 확실했지만, 내 누룩이라 부를 순 없다. 오롯이 내 집 내 환경(떼루아)에서 자라난 미생물로 빚어진 것만이 나만의 누룩이라 부를 수 있기 때문이다. 그리고 그들을 어떻게 이용해야 할 지 나는 잘 모른다. 나만의 누룩이 나만의 술로 이어질때까지 조금만 더 힘을 내 보자.

온전히 내 것으로, 다양한 실험들

레시피가 확정되고 나니 설화곡을 온전히 내 것으로 만들고 싶어 졌다. 그러기 위해서는 다양한 실험이 필요했고 대략 다음과 같은 궁금증들이 기초가 되었다.

쌀가루 체 칠 때 어떤 체를 사용하는게 좋을까? 중간체? 고운체?

씨 누룩을 사용하지 않으면 어떻게 될까? 사용한다면 뭐가 좋을까?

밀가루를 넣는게 좋을까? 넣는다면 얼마나 넣어야 할까?

부 재료(즙)를 사용하면 정말 효과가 있을까? 어떤 부 재료를 사용하면 좋을까? 부 재료는 얼마나 넣어야 할까?

쌀은 어떤 걸 사용하는게 좋을까? 찹쌀? 현미? 흑미? 유기농 쌀을 쓰면 더 좋은 결과를 가져올까? 잡곡도 가능할까?

발효 기간을 늘리면 어떻게 될까? 계속 놔두면 어떻게 될까?

성형 강도를 높이면 어떻게 될까?

누룩 틀(시루)은 어느 정도 크기가 적당할까? 엄청나게 큰 걸 사용해도 될까?

가장 쉬운 문제부터 풀어 보았다.

누룩 틀(시루)

설화곡은 스탠 시루를 누룩 틀로 사용한다. 누룩 틀은 밑면이 평평해서 바닥에 밀착되고 안쪽 시루 판이 약간 떠 있어 아래 수분 배출에 유리하다. 뚜껑도 피라미드처럼 중심부가 뾰족이 올라와 습이 맺히더라도 바로 떨어지지 않고 벽면을 타고 옆으로 흘러내려 쌀가루가 썩는 걸 막아준다.

우리 술 빚기에 사용하는 스탠 시루는 대부분 대창스텐사에서 만드는 떡시루로, 높이가 높은 버전과 낮은 버전이 있는데, 각각 40호, 28호로 나눠져 총 네 종류가 있다. 처음에 집에서 혼자 테스트 해 볼 요량으로 샀기 때문에 가장 용량이 작은 낮은 높이의 28호 사각 시루(2.4kg)를 구매했지만 한 번에 할 수 있는 쌀 양이 2kg 미만이라 더 큰 시루가 필요했다.

40호 사각시루 (8kg)
395(D)×395(W)×155(H)

40호 사각시루 (4kg)
395(D)×395(W)×100(H)

남은 세 가지 종류의 시루는 4kg짜리 두 개, 8Kg 짜리 한 개로, 생각 같아서는 제일 큰 사이즈를 사고 싶었지만 혹시나 해서 류 소장님께 어떤 걸 사면 좋을 지 물어 보았더니, "8kg짜리를 사용해도 실 양은 5kg 정도로, 무작정 늘릴 수 없는게 그 이상은 열이 과하게 오르는 등 잘 안됩니다. 오히려 현재 사이즈에서 가장 잘되는 방법을 찾는게 좋지 않을까요?"라는 의견을 주셨고 타당한 말씀이라 생각되어 낮은 높이의 40호 사각시루(4kg)를 추가 구매했다.

씨 누룩

다음은 씨 누룩에 대한 것이다. 맨 처음에는 금정산성 누룩을 체 쳐 고운 누룩 1% 정도 이용했지만, 아무래도 같은 쌀누룩(이화곡) 계열을 사용하는게 좋을 것 같아 배금도가 쌀누룩을 이후로 계속 사용하고 있다. 밀 누룩을 사용하든 쌀누룩을 사용하든 처음에는 문제가 없었는데, 긴 겨울을 보내고 당장 사용할 이화곡이 없어 한영석 밀 누룩을 사용한 이후 큰 문제에 부딪혔다.

설화곡에 설화(흰 곰팡이)가 피지 않은 것이다! 대신 표면에 황국균과 같은 노란색이 비치더니 눈에 띌 정도로 노래지면서 거의 녹색으로 바뀌었다. 채를 쳐 보니 전형적인 밀누룩 냄새가 강하게 났고, 이 설화곡으로 빚은 술도 희한하게

색깔이나 맛이나 향이 마치 밀 누룩을 쓴 것과 같은 특성이 나타났다. 지금 생각하면 당연한 결과지만, 혹시나 해서 그 누룩을 씨누룩으로 다음 누룩을 빚어 봤더니 앞의 누룩 속성을 그대로 이어 받았다.

한 겨울을 나면서 우리 집 환경(떼루아)에 변화가 왔을 수도 있고, 금정산성 누룩과 다르게 한영석 밀 누룩이 영향을 줬을 수 있지만, 한 가지 확실한 건 마치 장작불을 일으키듯 정확하고 제대로 된 스타터 즉, 씨 누룩이 반드시 필요하다는 걸 확실히 인식했다. (다행이 배금도가 쌀누룩으로 바꾼 후 설화가 다시 나타났다.)

씨 누룩을 아예 사용 안 하면 어떻게 될지도 실험을 했다. 이 경우 사실상 어떤 곰팡이가 필 지 예측하기 어려웠다. 그 시점 주변 미생물이 붙는 것 같았고, 바로 직전에 만든 누룩 기질이 영향을 주는 것 같았다. 그리고 전반적으로 설화곡 띄워지는 속도가 늦었다. 이는 다시 말해 초기 미생물이 자리 잡는데 시간이 걸렸다는 것으로 환경이 완벽히 통제되기 전까지는 (예를 들어 나만의 누룩 방이 있기 전까지는) 씨 누룩 관리가 꼭 필요함을 일깨워 주었다.

그런데 혹시 씨 누룩으로 백국균이나 맥주 효모를 이용하면 어떻게 될까?

백국균

마침 예전에 실험하기 위해 사 두었던 수원발효연구소의 백국균이 있었다. 아주 적은 양만 사용했는데, 표면에 노란색 곰팡이가 보였고, 밀 누룩처럼 녹색/고동색으로 변하진 않고 끝까지 노란색을 유지했다. 표면이 거칠어 지긴 했지만 곰팡이가 창궐한다는 느낌은 적었고 대신 품온이 상당히 높게 매우 오랫동안 유지되었다.

충분히 식을 때까지 두었다가 체를 쳤는데, 전체적으로 많이 딱딱해졌고 안 쪽까지 노란색이 돌고 일부는 약간 보라색처럼 보이기도 했다. 향은 전반적으로 시큰했고 기존의 것과 다른 독특한 인상을 줬다.

백국균을 이용한 설화곡으로 술을 빚어 본 건 한 참 시간이 지나서 인데, 어찌된 영문인지 설화곡이 거의 초콜릿처럼 진한 갈색을 띄고 있다. 작년 5월 15일 건조하여 넣었고 주모를 시작한 날짜가 다음 해 1월 23일이니까, 거의 반 년 이상 지났다. 그 사이 어떤 일이 있었던 것 같은데, 조금씩이라도 계속 발효가 계속되지 않았을까 추측할 뿐.

주모를 만들며 보니, 다른 것들과 다르게 포자가 뜨지 않았는데 설화곡 위 쪽에 곰팡이가 없었던 거랑 연관이 있어 보인다. 그리고 특기할만한 사항이 다른 것보다 당화력이 월등히 센 것 같다. 국자로 저어 보면 더 이른 시점에 더 수월히 저어졌다. 당연한 말이지만 이런 특성은 모두 백국균에서 온 것 같다. 균이 매우 강하고 잘 살아 나갔기 때문이 아닐까? 그러면서 오랫동안 발효를 이어갔기 때문에 효소도 더 많이 생성되었을 것이다.

비록 술 색은 진한 갈색으로 아쉬움이 있지만 맛은 진득하게 달콤하면서 산미가 받쳐줘 밸런스가 좋은 술이 되었다. 특히 기존에 실험했던 어떤 설화 오양주보다 더 진득하니 느껴져 당화가 더 많이 이뤄졌음을 알 수 있었다. 특정 균을 사용하는데 거부감은 없지만 술 색을 해칠 필요는 없을 것 같다. 누룩 색 변화의 원인을 밝혀내기 전까진 아쉽지만 여기서 끝.

프렌치 세종 에일 효모

젊은 양조사들이 많아지면서 새로운 시도도 늘고 있다. 대표적인 게 맥주와 같이 당화와 발효를 분리(단행 복발효라고 한다)하려는 시도고, 특색 있는 맥주 효모로 독특한 풍미를 만들려는 시도다. 전자의 경우가 성수동에 잘 알려진 맥주 양조장 어메이징 브루잉 컴퍼니가 만든 마크 홀리(Mark Holy) 막걸리다. 맥주 회사에서 왠 전통주 할 수 있겠지만, 본인들이 가진 맥주 생산 노하우를 우리 술에 접목해 당화는 정제 효소, 발효는 맥주 효모로 공정을 일치시켰고, 더불어 오랜 숙원인 통신 판매를 끌어냈다. (현재 인터넷에서 살 수 있는 술은 전통주가 유일하다.) 어메이징 브루잉 대표 김태경님은 24개의 다양한 효모 실험 끝에 프렌치 세종 에일을 선택했다고 한다.

프렌치 세중 에일 효모를 이용해 우리 술의 풍미를 높이려는 시도는 디오케이 브루어리의 강즐겨 막걸리에서도 찾을 수 있다.

<자기 누룩 없으면 양조장도 만들지 마라>

DOK 대표 이규민님의 말씀을 들어보자.

"우리는 역 발상으로 토종 막걸리인 걍즐거에 수입산 효모를 첨가했다. 걍즐거는 누룩을 사용했는데, 그 외에 맥주 효모인 프렌치 세종(벨기에산 효모로 강한 과일 향을 낸다)을 일부 사용했다. 세종 효모를 쓰는 이유 중 하나가 약간 콤콤한 느낌(청국장, 누룩에서 나는 향의 일종), 살짝 거친 향의 느낌을 주기 때문이다. 약간 내추럴 와인 느낌이 난다. 깔끔하기보다는 약간 거친 느낌, 누룩과 비슷한 느낌이다. 처음 밑술 만들 때 전통 밀 누룩과 함께 세종 효모를 같이 넣는다."

사설이 좀 길었는데, 씨 누룩으로 맥주 효모를 사용한 건 매우 독특한 경험이었다. 일단 세종 효모는 고동색의 작은 입자로 특이하게 된장 냄새가 났다. 앞서 DOK 대표님이 '약간 콤콤한 느낌'이라 한 이유를 알 것 같았다. 설화가 올랐고 짧은 시간에 완전히 뒤덮일 정도로 왕성한 모습을 보여줬다. 체를 칠 때 보니 고동색의 효모가 사라져 하나도 보이지 않았고 된장 냄새도 완전히 없어져 신기했다.

기대를 안고 맥주 효모를 이용한 설화곡을 넣어 술을 빚어 봤는데, 결과적으로 신통치 않았다. 밑술 단계에서 향은 나쁘지 않았지만 색이 진한 갈색으로 보기 좋지 않았다. 주걱으로 저어보면 비교 대상인 배금도가 쌀누룩을 사용한 술에 비해 확실히 저항감이 느껴져 술이 덜 삭고 있다는 걸 알 수 있었다. 게다가 덧술이 계속될수록 술 표면에 검은 색 입자가 계속 떴는데 이는 과다한 곰팡이로 인한 포자가 아닐까 하는 생각이 들었다. 최종적으로 술은 진한 색의 새콤 달콤한 맛을 가진 게 만들어졌는데, 기대에 미치지 못해 앞으로도 맥주 효모를 사용할 일은 없을 것 같다.

밀가루

|

설화곡 만들 때 밀가루를 넣어야 하는가 하는 문제는 류인수 소장님의 밀가루에 대한 의견에서 답을 찾을 수 있다. 류소장님께서는, 실패하지 않는 술 빚기 방법으로 씨앗술, 밀가루, 누룩 법제를 꼽았으며 밀가루는 누룩 양 대비 30% 넣어라 했다. 어느 자료를 보면 밀가루 없이 술을 빚어도 잘된 경우, 또는 밀가루로 만든 누룩을 사용할 경우 넣지 않고 빚어도 된다고 했으나, 안전 발효와 약간의 산미 그리고 빠른 침전 유도 등을 위해선 밀가루를 사용하는게 좋을 것 같다. (나중에 알게 되었는데, 서울막걸리에 사용되는 설화곡에는 밀가루가 들어가지 않는다고.)

중간체 혹은 고운체

|

쌀가루를 체 칠 때 어떤 크기의 체를 이용해야 하는지는 크게 생각해 본적 없는 주제다. 수업 중에는 중간체를 이용했는데 과거 자료를 보다 보니 고운체를 이용하라고 되어있는게 있었다. 쌀가루 입자가 커질 경우 내부에 포자가 생성될 수 있고 그로 인해 곰팡이 향이 날 수 있기 때문이라는데 타당한 주장으로 생각되었다.

아닌가 아니라 입자의 크기는 분쇄도라 볼 수 있고, 앞서 한영석 누룩 편에서 분쇄도가 높을수록 미생물이 살기 어려워 역가 높은 누룩이 만들어 진다 해서 일맥상통하는 부분도 있어 보인다.

부 재료(즙)

쌀누룩을 삼양주 이상으로 빚고 쌀 양 대비 30% 가까이 넣는 이유는 당화력과 발효력이 부족하기 때문이다. 발효의 경우 여러 번의 담금을 통해 효모를 증식시켜 힘을 키울 수 있으나, 당화력은 애초에 만들어진 효소의 양에 의존적이라 쉽지 않다. 이런 문제를 극복하기 위한 가장 좋은 방법은 누룩 제조 시 특별한 부 재료(즙)를 이용하는 것이다.

참외는 껍질째(왼쪽), 착즙기 이용(중간), 잘라놓은 무(오른쪽)

연잎, 참외, 생강, 무가 대표적인 즙 이용 가능한 재료로, 내 경우에 봄 여름에는 참외, 가을에는 무를 이용했다. 적용하는 방법은 간단하다. 돌로라를 이용해 곱게 갈아낸 쌀가루에 착즙기를 이용해 미리 만들어둔 즙을 흩뜨려 뿌린 후 체를 친다. 쌀 4kg 기준에 100ml 정도를 사용했는데, 혹시 불린 쌀가루의 수분 양이 많다 싶으면 조금 더 오래 빼 놓아 전체 수분 양이 너무 많아지지 않도록 할 필요가 있다. 특히 무즙의 경우 무 수분율이 95.3%로 매우 높기 때문에 쌀을 물에 담가 놓는 시점부터 무즙을 이용하면 더욱 좋을 것 같다. 참고로 '무즙의 당화 효소를 이용한 전분질 원료의 주류 및 제조' 방법이 특허[14]로도 존재하고 있어 누룩 제조 시 즙 사용의 신빙성을 보태 준다.

실제로 무 즙을 이용한 경우와 그렇지 않은 경우 술 빚기에 차이가 있는지 실험을 해 봤다. 동일한 레시피로 설화곡만 다르게 하여 진행한 오양주 술 빚기에서, 밑술 단계에 저어줄 때 즙을 사용하지 않은 쪽의 저항감이 더 커 당화력이 낮음을 알 수 있었고, 진행 속도도 더 느렸다. 최종적으로 술이 다 되어 채주할 때도 즙을 넣지 않은 쪽의 경우 떠 있는 쌀알 양과 지게미가 많아 당화와 더불어 발효력도 떨어짐이 확인 되었다. 다시 말해, 설화곡 제조 시 부 재료(즙)의 사용은 필수다.

성형 강도

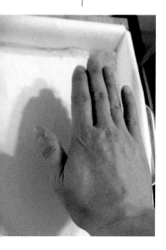

설화곡 용 쌀가루를 담은 시루는 골고루 흩여 준 후, 바닥에 2~3 차례 탕탕 내려쳐 다진 후 띄운다. 그런데, 만약 윗 면을 손바닥이나 무거운 물체로 눌러 안쪽을 빡빡하게 만들면 어떻게 될까? 한영석 소장님 말씀으로는 분쇄도가 높고 성형 강도가 높을 경우, 곰팡이가 살아가기 힘들어 시간이 오래 걸리고 대신 역가가 높아진다고 했는데, 과연 그런지 확인하고 싶었다. 특별히 어떤 도구를 이용한 건 아니고 쌀가루를 손가락과 손바닥을 이용하여 꾹 눌러 압착하는 방식으로 강도를 높여줬다.

하지만 특별히 발효 시간이 더 걸린 것 같지 않고, 해당 누룩을 이용한 술 빚기 결과도 별반 다르지 않아 차이점을 찾지 못했다. 만약 다시 시도한다면 손바닥이 아니라 더 무겁고 강한 힘으로 눌러 보고 싶은데, 이 부분은 다음을 기약 해야겠다.

발효 기간

설화곡을 이용한 여러 조건, 방법들 실험 중 가장 중요한 항목을 얘기할 때가 되었다. 바로 발효 기간이다. 설화곡을 배울 땐 표면에 흰 곰팡이가 보이면 발효를 중단하고 체 친 후 건조하라고 했지만, 막연하게 좀 더 두면 더 좋지 않을까 하는 생각이 들었다. 한영석 소장님의 "곰팡이는 습을 따라 이동하고, 습이 있는 동안 계속 증식을 하기 때문에 효소와 효모 양이 많아진다"는 말씀이 떠 올랐기 때문이다.

게다가 흰 곰팡이가 보이자 마자 체를 치면 건조 과정에서 계속 후 발효가 일어났다. 자주 뒤집어 준다고 해도 뭉쳐있는 쌀가루 안이 뜨끈하게 뭉치며 곰팡이들은 계

속 일을 했다. 이런 현상은 한 소장님 말씀과 함께 좀 더 둬도 되지 않을까 하는 생

각에 부채질을 했다.

하얀 설화가 내린 초기 상태(왼쪽), 곰팡이가 계속 증식하며 검게 변하는 상태(중간), 완전히 검은색으로 덮인 상태(오른쪽)

일단 충분히 두고 보기로 하자 설화곡은 짧은 시간에 흰 곰팡이로 표면이 뒤덮였다. 품온이 높아 계속 두고 보니 흰 곰팡이는 다시 검은색으로 바뀌면서 더 풍성(?)하고 두꺼워 졌다.

빽빽한 곰팡이 숲을 헤치고 어떻게 채치나 싶었는데 크게 어려운 점은 없었다. 숟가락으로 표면 곰팡이를 살살 긁어내니 쉽게 벗겨졌다. 마침 우연히 본 금정산성 누룩 관련 프로그램에서 그라인더로 표면 곰팡이를 갈아내는 걸 보고 누룩은 다 그렇게 하나 싶었다.

표면 곰팡이 보다는 오히려 시루 옆면이 문제였다. 발효가 계속되면서 시루와 닿은 옆면이 오랫동안 습에 노출되었고 마치 고무처럼 딱딱하게 변해 있었다. 이런 부분은 마치 빵을 자르듯 잘라내고 사용했는데, 흡사 시루에서 만들어진 큰 식빵을 자르는 듯 재미가 있었다. 누룩 안쪽까지 균사가 퍼져서 인지 카스테라라기 보다 백설기 마냥 단단해져 실제 자를 땐 큰 식칼을 이용했다.

<자기 누룩 없으면 양조장도 만들지 마라>

딱딱한 부분 자르기(왼쪽), 체 치기(중간), 체 치고 남은 딱딱한 부분(오른쪽)

발효 기간을 길게 가져가는 덕분에 건조시간이 짧아졌다.

더 역가 높은 질 좋은 누룩을 갖게 되었다 생각했다. 이제 이걸로 멋진 나만의 술이 탄생할 거라 믿었지만 왠지 술 빚는 동안 잘못된 방향으로 가고 있다는 불길한 느낌이 들었다. 우선 술 색이 이상했다. 주모부터 매우 진하고 심한 경우 갈색에 가까웠다. 덧술을 거듭할 수록 연해 지긴 했어도 완성된 술 색이 갈색 계열이어서 마시고 싶은 기분이 덜 했다. 게다가 술에 검은색 알갱이들이 많이 떠 다녔다. 지금와 생각해 보니 곰팡이 포자인 것 같고, 몇 번을 떠내도 완전히 없어지지 않는데, 곰팡이가 핀 술을 먹는다고 생각하니 정나미가 떨어졌다. 단단히 디뎌 빚는 떡 누룩은 안쪽에 포자가 들어가기 어렵지만 헐렁한 흩임 누룩의 경우 내부 공간이 많아 효소 뿐만 아니라 포자도 광범위하게 퍼질 수 있어 더 그랬던 것 같다.

불현듯 어떤 기사의 한영석 소장님 말씀이 떠 올랐다.

'발효 중인 누룩 겉면에 곰팡이가 많이 낀 누룩은 좋은 현상이 아니다. 습도 조절에 실패하면 곰팡이 꽃이 많이 핀다는 것이다. 한영석 대표는 "누룩 겉 표면에 곰팡이 포자가 많으면, 바깥 면이 곰팡이로 코팅이 된다"며 "이런 경우에는 누룩 안의 습도가 밖으로 빠져나가지 못하고, 또 안으로 곰팡이가 침투 하지도 못해 품질 좋은 누룩이 만들어지지 못한다"고 말했다. 이곳 한영석 발효연구소의 누룩 실, 어디를 둘러봐도, 곰팡이 꽃이 많이 피어있는 누룩은 보지 못했다.[15]

한 소장님 말씀을 듣고 보니 무작정 역가를 높인다고 오래 두는 건 아닌 것 같았다. 습도 조절이 관건이라고 했지만 시루 뚜껑을 비스듬히 열어 두거나 아래 쪽에 그릇 등을 괴는 식으로는, 정교함에 한계가 있었다. 그렇다고 곰팡이가 보이자 마자 바로 체 치는 것도 답이 아닌 것 같고…… 문제에 봉착할 때마다 결국 믿는 구석은 류인수 소장님뿐이라, 한 두어 번 이런 문제로 질문을 드렸고 말씀하신 내용을 정리하면 다음과 같다.

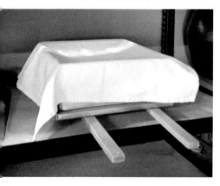

"표면에 곰팡이가 보이면 중단해야 합니다. 실화 곡은 곰팡이를 쓰는 게 아니고 효소를 쓰는 것입니다. 대신 수분을 충분히 날리는게 중요합니다. 그래야 향이 좀 더 진해집니다." "연구소의 경우 실화가 보이면 5시간을 더 둔 후, 위에 천을 덮고 밑은 나무 등을 괴어 12시간 놔 둡니다. 일단 체친 후에는 완전히 건조하는데 초점을 맞춥니다. 가능하면 선풍기로 바람을 쐬고 갈퀴로 계속 그어줍니다. 당연히 효모, 효소가 충분치 않은 게 맞고 그래서 30%를 쓰는 겁니다."

어디에서 읽은 건지 기억이 나지 않지만, 사케를 만들기 위한 입국(코지)도 천천히 말린다고 한다. 코지가 건조되며 향미 성분이 강화되기 때문이라는데 소장님 말씀과 같은 맥락으로 보인다.

한 가지 설화곡 건조할 때 팁이 있는데 처음엔 나도 한국가양주연구소와 같이 평평한 판 위에 비닐을 깔고 널어 말렸는데 나중에 종이(전지)로 바뀌어 있어 물어보니, 비닐은 건조 시 습 배출이 안되어 잘못하면 후 발효로 누룩을 망치는 경우가 있다고 한다. 실제 전지를 깔고 건조시켜 보니 종이가 남은 습을 흡수하여 날려주어 건조 시간이 줄고 최종 결과가 더 좋은 걸 알 수 있었다. (사용했던 전지는 버리지 말고 나중에 아래에 깔아 두면 좀 더 두꺼운 종이를 깐 것과 같아 더욱 좋으니 버리지 말고 모아두도록 하자.)

튜닝의 끝은 순정이라고 했던가?

돌고 돌아 결국 맨 처음 방식으로 왔다.

<자기 누룩 없으면 양조장도 만들지 마라>

우리 집 설화곡, 나만의 누룩 빚는 법

지금까지 실험을 바탕으로 우리 집 설화곡 나만의 누룩 띄우는 방법을 총 정리해 본다.

1. 준비하기 (쌀가루 2kg 기준)

· 멥쌀 가루 2kg을 준비한다.
  - 혹시 냉동되었다면 충분히 녹여준다.
  - 쌀가루는 수분을 너무 많이 먹고 있지 않도록 해 준다.
    (충분히 물을 빼 준다.)
· 누룩 틀로 대창스텐 사각시루 28호(2.4kg)를 준비한다.
  - 쌀가루 4kg 기준으로는 사각시루 40호(4kg) 이용
· 누룩 집을 전지를 접어 만들어 끼운다.
  - 누룩 집 만드는 방법 아래 참고

전지를 정사각형으로 자른 다음 시루판을 놓고 사방향으로 접어준다. 시루판을 뺀 후 세 군데 모서리 부분을 한 쪽 방향으로 접어 주면서 시루에 넣고, 가위로 위 부분을 잘라 젖혀주면 누룩 집 완성

· 씨 누룩을 쌀 양의 2% 내로 준비한다.
  - 내 경우 배금쌀누룩 40g 이용
· 밀가루를 쌀 양의 2% 내로 준비한다.
  - 내 경우 박력분 40g 이용

- 부 재료로 참외 또는 무를 즙 내어 50㎖ 정도 준비한다.
  - 쌀가루 수분 양이 너무 많다면 양을 줄여 쓴다.
  - 참외 경우 껍질 째 사용 가능하다.

2. 띄우기

- 재료 혼합 후 고운체로 쳐 누룩 틀에 넣는다.
  - 쌀가루, 씨 누룩, 밀가루, 부 재료를 혼합한다.
  - 부 재료 즙을 넣을 땐 뭉쳐지지 않도록 조금씩 골고루 뿌린다.
  - 전체 혼합 후 잘 섞어 준 후 고운체로 내린다.
    (체에 남은 재료는 모아두었다 다른 술 만들 때 사용하면 좋
    다.)
  - 내린 가루는 누룩 틀에 넣고 위를 고른 후 바닥에 몇 번 쳐서
    다져준다.

- 진행 상황을 모니터링한다.
  - 외부 온도가 낮으면 옷 등을 씌워 보온해 준다.
  - 이따금 손을 대어 따뜻함이 느껴지는지 확인한다.
  - 품온이 오르면 한 번씩 열어 시루 뚜껑과 바닥에 맺힌 습을 닦
    아 준다.
  - 이 때 표면에 흰 곰팡이가 폈는지 확인해 본다.
  - 흰 곰팡이가 보이지 않으면 위 과정을 반복한다.
- 흰 곰팡이가 보이면 식히기 시작한다.
  - 시루 뚜껑은 열고, 아래는 나무나 그릇 등으로 괴어 공간을 만
    들어 준다.

  - 시루 위쪽에는 면보를 씌워주고 12시간 정도 천천히 식힌다.

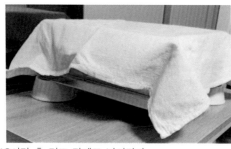

  - 12시간 후 건조 단계로 넘어간다.
- 혹 습이 많아 흰 곰팡이가 창궐하거나 검은 곰팡이 피면 바로 건조하기 단
  계로 넘어간다.

<지기 누룩 없으면 양조장도 만들지 마라>

3. 건조하기

· 대형 쟁반에 전지를 깔아 건조대를 준비한다.
- 전지는 건조 시 습 배출을 용이하게 하는 용도다.
- 건조대가 준비되면 중간 체로 친다.
- 혹시 표면이나 옆 면에 곰팡이가 보이면 긁어내 버린다.
- 설화곡을 조금씩 떠 내는 것보다 시루를 통째로 엎어 빼내면 편하다.
- 설화곡을 잘라 체를 친다.

· 체 친 설화곡은 적당량으로 나눠 건조대에 올린다.
- 가능한 얇게 펼쳐야 건조가 쉽다.
- 이따금 손이나 갈퀴를 이용해 뭉친 곳을 풀어주고 뒤집어 주거나 골을 내준다.
- 건조 중 후 발효가 일어나지 않도록 주의한다.
· 설화곡 가루가 날릴 정도로 건조한다.

- 보통 3일 정도면 완전히 건조된다.
- 건조가 충분히 되지 않은 상태로 담으면 그 상태로 후 발효가 일어나니 주의한다.
- 건조된 설화곡은 무게를 달고 평소 사용하는 양에 맞춰 소분하여 지퍼 백에 담는다.

4. 저장하기

· 햇빛이 들지않은 건조한 곳을 저장실로 준비한다.
- 나눠 담은 설화곡 봉지를 저장실에 보관한다.
- 혹시 모를 습을 제거하기 위해 제습 제를 함께 두면 좋다.

설화곡으로 술 빚어 보기

첫번째 시도

우여곡절 끝에 설화곡은 만들어 졌지만 이게 술이 될지는 여전히 확신이 서지 않았다. 효모의 양이 적다 해서 삼양주로 하기로 했고 쌀 대 물량 1:1에 설화곡 25%로 레시피를 구상했다.

	쌀	물	누룩	가공방법
밑술	0.5	1.5	1.5 (설화곡)	범벅
덧술1	1	3		범벅
덧술2	3			찹쌀 고두밥
	-----	-----	-----	-----
	4.5	4.5	총 술 양 9L	
	1 :	1	누룩 25%	

처음부터 어려움에 부딪혔다. 보통 밀 누룩 경우 씨앗술 이용 시 총 쌀 양 대비 4~5%를 사용하니 밑술 혼합 시 문제될게 없었다면, 설화곡은 25%나 사용해야 해서 범벅과 혼합하는게 매우 힘이 들었다. (쌀가루 2kg에 물 1.5L를 부은 격이니 쌀 양 대비 물 양이 75% 밖에 안된다.)

게다가 술이 끓는 속도도 평상 시 보던 것과 달라 덧술 시기를 맞추기 어려웠다. 1차 덧술 포함하여 5일 정도 되어야 끓기 시작했는데 그 나마도 기대 만큼 아니어서 애를 태웠다. 어쨌든 찹쌀은 이미 씻어 둔 상태고 술이 안될까 조바심에 정제 효소를 쌀 양 대비 반 정도인 3.6g 넣기로 했다. (정제 효소 투입 양 계산 방법은 '개량누룩과 건조 효소'편 참고)

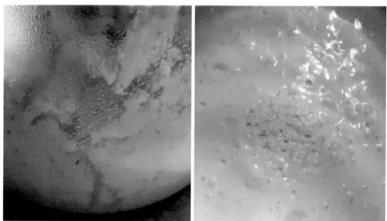

밑술 후 12시간(왼쪽), 3일째, 준비가 부족해 보였지만 첫번째 덧술 진행(오른쪽)

술은 거의 두 달 만에 채주했다.

꽤 독한 향이 느껴졌고, 지게미가 모두 삭아 요거트 처럼 보였다. (실제로 요거트 같은 유제품 향이 났다.) 술 맛은 새콤한 맛이 먼저 느껴지고 달콤한 맛이 따라오며 쓴 알코올이 마지막을 장식했다. 설화곡 만으로 이 정도 술이 나온 다는게 감격스러우면서도 효소를 넣지 말았어야 했다는 아쉬움이 이어졌다.

기가 막힌 참외, 배향

설화곡만으로 술이 된다는 걸 확인한 이상 내게 꼭 맞는 레시피를 찾고 싶었다. 가장 문제가 되었던 덧술 시점을 찾기 위해 밑술 변화를 하루에 몇 번이고 확인해 보았다. 딱딱하게 보인 범벅이 어느 정도 풀어지는데 2~3일 정도, 4일이 지나야 끓기 시작하고 길게 이어졌다.

당시 4일 째 작성한 블로그를 보자.

"5/19일 수요일

4일째인데도 계속 끓고있어 덧술을 못함. 웬만하면 하려했는데 코를 대보니 이산화탄소 가득"

결국 5일이 넘어서 1차 덧술을 했고 2차 덧술도 4일을 지나 이뤄졌다. 이런 과정은 내가 만든 설화곡의 특성을 이해하는데 많은 도움이 되었다.

이번엔 더위를 피해 한 달 반 만에 채주를 했다. 쌀알이 아름답게 떠 있고 무엇보다 향이 기가 막혔다. 참외인지 배인지 달큰하면서도 시원한 향이 났다. 지난 번에 이은 두 번째 내 설화곡으로 만든 술이었지만, 일체의 첨가물없이 쌀, 물 그리고 내 누룩만으로 만들어 냈다는 점에서 기쁨은 이루 말할 수 없었다.

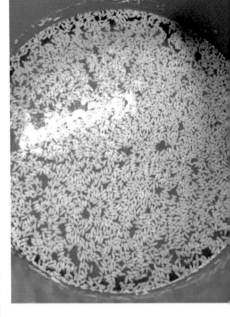

가양주 주인대회 입상

내친 김에 몇 번의 고배를 마셨던 가양주 주인대회('21년)에 응시하기로 했다. 문제는 주최 측에서 보내준 아산맑은쌀 삼광 멥쌀을 사용해야 한다는 것인데 마지막 덧술에 동량 또는 최소 70% 이상 물을 사용해야 멥쌀을 호화 시킬 수 있어 물량이 다소 늘어났다.

	쌀	물	누룩	가공방법
밑술	0.5	1.7	1.28 (설화곡)	범벅
덧술1	1	1.5		범벅
덧술2	4	3.25		멥쌀 고두밥

	5.5	6.45	총 술양 11.95L
	1 :	1.17	누룩 23%

이전과 마찬가지로 밑술 5일, 덧술1에 4일을 쓴 후, 하루 전 뜨거운 물을 부어 삭혀 둔 멥쌀 고두밥과 혼합하고 대회 일정 상 어쩔 수 없이 한 달이 채 안되 채주, 1주일 숙성 후 감압여과하여 제출했다. 채주 시점이 빨라서 였던지 짜기 힘들었지만, 향이 좋아 모든 게 즐거웠다.

당시 블로그에 그 느낌이 묻어있다.

<자기 누룩 없으면 양조장도 만들지 마라>

"9/21일 채주

첫인상은 생각보다 많이 삭았고, 노란색이 좋음. 참외 향 메론 향이 남. 지게미 짜기가 어렵고 남은 건 우유처럼 걸쭉해 보임. 술도 꽤 많이 나온 듯. 맛을 보니, 밀키, 고소, 참외, 배, 메론, 꽤 닭 (엄청 시원한 맛, 향)"

우리술대회 출전기에서도 언급했지만, 내 설화곡으로 만든 세 번째 술로 마침내 메이저 우리 술 대회에서 장려상을 탔다.

그렇게 두드려도 열리지 않던 문이 마침내 열린 것이다. 나는 그 이유가 온전히 내 누룩을 이용했기 때문이라 믿는다. 그리고 그 누룩이 평범하지 않기 때문이라고 확신한다. (평범하지 않다는 것은 내 누룩이 오롯이 내 환경(떼루아)을 반영한 산물이기 때문이다.)

세상 어디에도 없는 나만의 떼루아를 품고 태어난, 나만의 누룩이 만들어 낸 나만의 술은, 그 동안 누군가가 만들어 놓은 레시피에 사다 쓴 누룩으로 아등바등하던 술 빚기에 혁명과도 같은 의미를 부여했다. 그리고 나는 남들과 다르다는 강한 자부심과 활력을 불어 넣었다.

바야흐로, 새로운 전환점을 맞게 된 것이다.

내 누룩에 딱 맞는 우리술 레시피는?

 설화곡은 술 빚기의 새로운 전환점이 되었지만 많은 숙제도 안겨 주었다. 우선 쌀가루가 아주 많이 필요했다. 동네 잘 아는 방앗간이 있긴 했지만, 매번 수분을 흠뻑 먹은 쌀가루를 시간에 맞춰 들고 나가기가 만만치 않았다. 게다가 덧술 시점을 잡는 것도 여전히 문제였다. 삼양주 기준으로 5일, 4일 이렇게 두었지만 그게 맞는 건지 확실치 않았다.

쌀가루 없이 술 이어 내기

 쌀가루 문제는 <음식디미방> 양조법의 '술 이어 쓰고자 하거든'에서 착안점을 얻었다. 소위 일년주라는 것인데 삼양주 이상 술 10L 기준으로 채주 시 잘 저어 7L는 떠 내고 남은 3L에 쌀, 물, 누룩 7L를 추가하여 계속 술을 이어 쓰는 것이다.

 이렇게 되면 비슷한 술 맛을 유지할 수 있고 공정이 단순화 되기도 하지만 결정적으로 쌀가루를 낼 필요가 없어 매력적으로 다가 왔다. 다만 누룩은 씨앗술이나 고운 누룩 혹은 수곡 등으로 충분히 활성화시켜 사용해야 하는데, 설화곡은 양이 많아 그 정도는 커버될 거라 생각이 되었다. 결정적으로 같이 지도자반 수업을 들은 김기명 선생님이 술 이어 쓰기를 하고 있어 안심이 되었다.

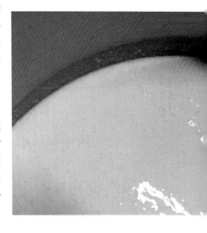

 결론적으로, 세 번을 이어 냈지만 실패했다.

 술 맛과 향은 나쁘지 않았지만, 채주가 너무 힘들었다. 처음에 눈치를 챘어야 했는데, 쌀이 충분히 삭지 않았고 세번 째 이어 쓴 걸 채주할 땐 밥알이 그대로 있거나 심지어 딱딱한 것도 보였다. 누룩을 충분히 활성화시켜 사용해야 한다는 조언을 새겨듣지 않은 게 화근이었다. 최소한 설화곡만이라도 충분히 깨워 넣었어야 했는데 그러지 않아 더 문제가 되었던 것 같다.

비록 이어 내기는 실패했지만 설화곡의 특성을 좀 더 이해하는데 도움이 되었다. 그리고 조금 무리가 되긴 했지만 전용 돌로라를 구입하는 계기가 되었다. (나중에 들은 얘기지만 여러 번 이어낼 경우 술에서 오래된 묵은 내가 난다는 말도 있어 제대로 이어 내기가 쉽지 않은 것 같다.)

5인치 돌로라

|

내가 가진 양조 도구 중 가장 비싼 걸 꼽으라면 단연 돌로라다. 현찰가로 160만 원 들었는데, 늘 갖고 싶었던 아이템이었다. 벼 농사를 짓지 않으니 쌀은 어쩔 수 없지만, 가능한 술 빚기의 모든 과정을 나 스스로 해보고 싶었다. 쌀가루 내기는 방앗간 사장님께서 잘 해 주시곤 했어도 늘 미진한 부분이 남아 있곤 했다. 내가 원하는 시간에 원하는 굵기로 바로 이용할 수 있으면 얼마나 좋을까 항상 생각했다. 게다가 쌀 뿐만 아니라 다양한 잡곡을 이용한 술 빚기도 가능해 여기저기 어떤 기계가 좋을 지 기웃거렸다.

처음에는 도무지 어떤 걸 사야할 지 몰라 여러가지 것들을 검토했다.

두유기, 분쇄기, 맷돌, 제면기, 믹서기 등이 그것이다. 두유기는 한국전통발효아카데미 전통누룩학교 수업 시 사용하는 걸 보고 가지고 싶었다. 하지만 수평 형의 경우 맷돌 강판이 고르게 닳지 않는 것 같고 결정적으로 돌 가루가 묻어난다는 후기를 보고 바로 접었다.

분쇄기나 믹서기는 모두 건조 용이라 습식 쌀가루를 내는데 적합치 않아 포기한 경우인데, 바보같이 믹서기는 사고 나서야 그 사실을 알게 되어 지금은 집 안 한 쪽에 고이 모셔져 있다.

제면기는 그 중에서도 가장 가능성이 큰 도구였지만 가정에서 사용하려면 수동형 밖에 없어 많은 쌀가루를 내는 데는 적합하지 않았다. 나중에 안 사실이지만 중국집 등에서 사용하는 자동 제면기가 있다. 분쇄에 시간은 좀 걸리지만 잘 되는 것 같고, 한국가양주연구소 출신으로 우리술 교육원 운영 중이신 선생님 블로그를 보면 중고로 30만원에 구매해 5년을 쓰셨 다니 유력한 대안이 될 수 있을 것 같다.

　그러던 와중에 한국가양주연구소 아래 위치한 '소마'에 맥주 만들기 수업을 받으러 갔다 풍진식품기계의 '5인치 돌로라'를 보게 되었다. 너무 크지 않고 220V 전원 사용이 가능해서 공방이나 가정용으로 적당하다는 얘기에 앞뒤 보기 않고 바로 주문했다. 처음에는 이걸 어떻게 사용하나 걱정도 있었지만, 몇 번 쓰다 보니 익숙해져 예전엔 어떻게 쌀가루를 들고 날랐을까 웃음이 났다.

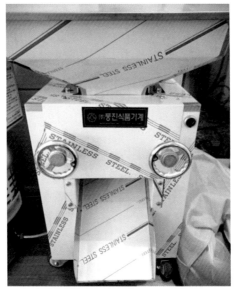

풍진식품기계 5인치 돌로라

　혹시 도움이 될까 싶어 5인치 돌로라 구입 및 사용법에 대해 정리해 본다.

　구입은 풍진식품기계에 전화를 하면 된다. 익숙한 듯 계좌번호를 알려주는데 입금하고 주소를 남기면 바로 택배(?)로 보내 준다. 혹시 설치 및 사용 방법에 도움을 받고 싶으면 10만원을 추가로 내면 되는데 내 경우에는 선택하지 않았다.

　사용 시에는 돌로라의 간격 맞추는 것만 주의하면 특별히 어려울 건 없다. 앞에 두 개 레버가 있는데 반드시 동시에 돌려야 하고 돌아가는 정도가 다르니 간격을 보고 돌리면 된다.

　내 경우에 쌀가루를 곱게 내는 편인데, 처음에는 간격을 약간 띄워 쌀알을 부수고, 두 번째는 간격을 거의 붙여(이 때 레버를 꽉 조이지 말고 그냥 서로 붙인다는 정도로) 내리면 아주 곱게 내려진다. (다 사용한 후에는 충분히 간격을 주어 벌린 상태

<자기 누룩 없으면 양조장도 만들지 마라>

에서 전원을 꺼준다.)

처음에는 돌로라 여기 저기 기름때가 있기 때문에 쌀을 좀 버린다 치고 한 두 번 내리면 거의 묻어 나간다. 손을 넣어 닦아줘도 되지만, 쌀가루가 마르면서 시간이 지나면 자연이 떨어져 내리니 크게 걱정 안해도 될 듯싶다. 다만, 아무래도 소음과 진동이 있으니 이른 아침이나 늦은 저녁에는 사용을 금하는게 좋을 듯. (집사람이 하도 걱정을 해서 방진 매트를 깔았는데 덕분에 소음 걱정은 한 숨 돌렸다.)

설화곡 덧술 시기 문제

|

쌀가루 문제는 돈이 좀 들긴 했지만 완벽하고 만족스런 해결책을 얻었다. 다음으로는 설화곡 덧술 시기 문제를 풀어야 했다. 우선 류인수 소장님께 여쭤봤다. 소장님 말씀을 정리하면 다음과 같다. "설화곡은 자연 미생물로 힘이 작다. 쌀가루 어서 이산화탄소가 잘 배출된다(크게 부풀어 오르지 않는다). 서울탁주도 5~7일 만에 덧술한다. 밑술의 도수를 주기적으로 측정하는게 좋다. 아니면 무게 변화를 통해 추정해 봐라. 내 누룩의 특성을 이해하는 것과 맥락이 같다."

같은 질문을 국순당 박선영 본부장님께 메일로 여쭤봤다.

박선영 국순당 생산본부장님 @술독(suldoc) 홈페이지 캡쳐

"박선영 본부장님. (중략하고) 구체적으로 말씀드리 자면, 멥쌀 가루 500g을 끓는 물 1L를 이용해 범벅으로 만들고 여기에 쌀 흩임 누룩 1.5kg 정도를 넣은 후 물을 1L 정도 추가하여 떡처럼 가공을 해서 밑술을 만듭니다. 떡처럼 된 밑술이 풀어지는데 당연히 시간이 필요한데, 문제는 어느 정도 풀어진 이후에 계속해서 이산화탄소가 발생되고 뿌글거림이 이어진다는 것입니다. 작년 늦어름 철에는 5일, 가을에는 7일 또는 8일 정도, 겨울철에 빚는 경우 (실내 온도 22℃ 정도) 오늘 자로 10일이 지나고 있는데 여전히 발효 중인 것 같아 더 두고 봐야 하는지 지금이라도 덧술을 해야 하는지 판단이 서질 않아 문의 드리게 되었습니다."

다음은 박 본부장님 회신 중 일부분이다.

"제일 안 좋은 것이 덧술할 시기가 안되었는데 덧술을 하는 것입니다. 아직 양질의 효모가 활성이 되지 않은 상태, 아직 밑술 내 유산균이 활성을 잃지 않고 남아 있을 때 덧술을 하게 되면 유산균이 우세종이 되어 그 술은 산패가 일어납니다. 쌀 흩임 누룩의 경우 밀 누룩에 비해 효소 힘(역가)이 약하고 영양분이 충분하지 않기 때문에 덧술 시기가 다소 늦습니다. 이화곡(쌀)을 사용하는 이화주의 경우(급수율 50%) 20℃에서 7~15일 발효하고 알코올 냄새가 나면서 물성이 풀렸을 경우 덧술을 합니다."

두 분의 말씀을 통해 설화곡이 충분히 활성화 되려면 최소 5일 이상 시간이 필요한 걸로 확인이 되었고, 충분히 풀렸을 때 덧술 하는게 맞다는 걸 알게 되었다. 그런데 그 순간 갑자기 그럼 입국은 어떻게 사용하지 하는 생각이 언뜻 스쳐갔다.

입국도 큰 틀에서 쌀 흩임 누룩인데 어떻게 사용될까?

입국, 주모 그리고 모로미

|

설화곡 덧술 시기에 대한 궁금증이, 목적은 달라도 같은 쌀 흩임 누룩인 입국에 대한 호기심으로 이어졌고 마침내 일본 술 사케는 어떻게 만들어질까 라는 생각에 다다랐다. 우리가 늘 깨끗한 맑은 술만 봐서 그렇지 사케도 쌀을 발효시켜 만들기 때문에 우리술 탁주처럼 만들어지고 이걸 여과, 가열, 가수하여 판매한다.

높은 정미율, 초 단위 세미 시간, 엄격한 수분 흡수율 등 세부적인 사항은 일본인답게 상상을 초월하지만 큰 틀에서 정미, 세미, 침지, 고두밥 찌기 등 술 빚기 초반 과정은 우리 술과 별만 달라 보이지 않는다. 이후 당화 용 입국 제조와 전용 효모를 이용한 주모 제조에서 차이가 나는데, 입국은 35도 온도의 누룩 방에서 황국균을 뿌리고 이틀에 걸쳐 완성되고, 튼튼한 효모를 순수 배양하기 위한 주모는 속성법이 2주 그렇지 않으면 한 달 정도 소요된다. 충분한 시간이 필요한 이유가 저온 발효를 위한 것으로 보이고 아마 품온이 높으면 더 빨리 끝날 것이다.

　만들어진 주모는 3단 담금 과정을 통해 쌀 투입 비율을 늘려 나가는데 보통 1:2:4 비율로 늘려 나간다. (왠지 우리술 삼양주가 생각이 난다.) 최종 담금(덧술) 후 8~18도로 약 3주 발효하면 18~20도 정도의 발효주, 모로미가 완성된다. 그리고 이걸 짜내 여과하면 사케가 된다.

설화곡 주모

　입국이 주모라는 과정을 통해 씨앗술처럼 만들어져 사용되는 걸로 이해가 되었지만, 정확한 입국, 효모, 쌀, 물 비율은 없었는데, 여러 데이터를 종합해 볼 때, 입국은 만든 후 약 1.5배의 물을 부어 1주일 동안 활성화 시켜 사용하고 쌀 양 대비 33% 정도 사용한다는 정도로 정리가 되었다.

　이런 부분을 설화곡에 맞춰보면 처음부터 밑술에 넣어 힘들게 치대기 보단 약 1.5배 물을 넣어 충분히 깨워 살린 후 사용하면 덧술하기도 쉽고 관리하기도 쉬울 것 같다.

설화곡 주모가 끓고 있다

　주모를 이용해 설화곡을 먼저 활성화 시키고 단을 올려 충분히 효모를 증식 시킨 후 술을 빚어야 한다는 사실을 바탕으로, 좀 더 체계적으로 레시피를 정하기로 했다. 그 와중에 주 재료 혹은 부 재료의 선택과 적용이 용이해야 하고, 이어 쓰기 에서의 당화력 부족 문제도 없어야 했다.

설화곡 오양주

|

사케 공부를 하면서 그렇게 많은 사케의 서로 다른 풍미가 어디서 비롯되는지 알수 있었는데 설화곡을 이용한 나만의 레시피를 구상하는데 크게 도움이 되었다. 크게 원료, 제조, 마무리 세 개 카테고리로 나눠지는데, 원료 부분에는 주조미, 정미율, 주조용수, 효모에 따른 차이로 풍미가 달라진다. 주조미는 말 그대로 술 빚기에 사용되는 쌀인데 우리술 기본 재료에서 얘기했다시피, 멥쌀과 찹쌀의 차이, 구체적으로 쌀 품종의 차이에서 술의 기본적인 풍미를 다르게 할 수 있다.

구분	풍미 차이 지점	내 용
원료	주조미에 따른 차이	일본의 다양한 술 제조용 쌀(주조호적미)에 따른 풍미 차이 (야마다니시키, 고햐쿠만고쿠, 미야마니티키, 오마치 등)
	정미율에 따른 차이	쌀을 깎는 비율에 따라 달라지는 맛 (80%, 70%, 55%, 40% 등)
	주조 용수에 따른 차이	경수는 바디감을 주고, 연수를 사용하면 부드럽고 풍만한 느낌
	효모에 따른 차이	일본양조효모협회 제공 다양한 맛과 향의 효모 이용 (6호, 7호, 9호, 14호, 15호 등)
제조	주모에 따른 차이	유산균 첨가 방법에 따른 주질 차이 (천연 유산균 배양, 유산 첨가 등)
	상조에 따른 차이 (*상조: 술 짜기)	술의 어느 부분을 취하느냐에 따라 맛 차이 발생 (맨 처음, 중간 쯤, 마지막 등)
	여과에 따른 차이	여과 정도에 따른 풍미 차이 (일반 여과, 무 여과 등)
마무리	가열(살균)에 따른 차이	가열 시점, 가열 여부 및 횟수에 따른 풍미 차이 (저장 전/출하 전 2회, 저장 전 1회, 출하 전 1회, 가열처리 안함 등)
	숙성에 따른 차이	출시 시점에 따른 풍미 차이 (봄 출시, 가을 출시, 3년 이상 숙성 후 출시 등)

사케 풍미 요소[16]

정미율과 용수는 개인적으로 크게 의미가 없어 보이고 효모도 우리 술은 누룩을 사용하여 직접적인 연관성은 없지만 설화곡을 빚을 때 사용되는 주재료, 부 재료(즙), 씨 누룩에 따라 설화곡 특징이 달라지므로 그런 측면에서 유형을 분리하여 개발하면 풍미에 영향을 줄 것이다.

제조 관점에서 주모 또는 밑술의 제조를 얼마나 늦추느냐 에 따라 유산균에 의한 산미 정도 차이가 생길 것 같고, 술을 짜는 과정에 사케는 짜는 법이나 얻는 시점에 따라 술을 세밀히 구분하는데 우리 술도 충분히 응용할 만한 것으로 보인다.

그 밖에, 여과, 가열, 숙성에 따른 차이는 말하지 않아도 풍미에 영향을 줄 텐데, 시설적인 제약, 미생물이 살아있는 우리술 관점에서 연관성은 크지 않다.

고민을 거듭하는 와중에 한국가양주연구소 오양주 레시피가 눈에 들어왔다.

두 번에 걸쳐 (주모를 포함하면 세 번) 효모를 증식시키고 누룩이 나눠 들어가 당화를 돕는 점이 좋았다. 덧술 재료와 가공방법을 다르게 할 수도 있는데, 특히 고두밥 나눠 넣기는 발효 효과를 극대화할 수 있는 방법이면서, 첫 번째 고두밥과 두 번째 고두밥 재료를 다르게 쓸 수 있기 때문에 다양한 형태로 변형이 가능하다. 가지고 있는 찜기 용량이 한 번에 고두밥을 4kg씩 지을 수 있어 레시피를 다음과 같이 구상해 보았다. (첫번째 고두밥은 찹쌀, 두번째는 멥쌀 임에 주의)

		쌀	물	누룩	밀가루	가공방법	비고
	주모		3.9	2.6		1.5배 물	설화곡
6일 후	밑술	1.0	2.0	주모	0.4	범벅	주모 투입
3일 후	덧술1	2.0	4.0			범벅	
3일 후	덧술2	2.0	4.0	1.3		범벅	설화곡 추가
3일 후	덧술3	4.0				찹쌀고두밥	고두밥 나눠넣기
7일 후	덧술4	4.0	4.0			멥쌀고두밥	덧술3 거른 후
	합계	13.0	14.0	3.9	0.4		
	비율	1.0	1.1	30%	3%	← 쌀양 대비	

설화곡 주모 이용 표준 오양주 레시피 (밀가루는 옵션)

레시피가 매우 맘에 들었다. 이제부턴 오양주다.

설화오양주라 부르자.

▶ 우리술대회 출전기 ④

여주 오곡으로 빚은 가양주품평회, 2022년

2021년에 만들어진 신생 대회다. 첫 해에는 정보가 늦어 참가를 못했고, 두 번째 해에는 마침 설화곡이라는 비장의 무기가 있어 공을 들여 준비했다. 주최 측에서 보내준 여주쌀을 사용하고 사용 과정이 담긴 사진을 10장 이상 제출해야 했다. 부 재료로 자색 고구마 포함 고구마가 명시되어 있는데, 아무래도 여주 고구마가 유명해서 인 듯.

혹시나 가산 점을 받을 수 있을까 하는 생각도 있었고, 자색 고구마를 이용하면 색이 고울 듯해서 오양주 마지막 멥쌀 고두밥 대신 고구마를 이용했다. 한 가지 주의해야 할 사항은 부 재료의 수분함량이다. 고구마는 수분함량이 60%인데 다시 말하면 고구마 10kg이라면 실제 전분이 4kg이고 물이 6kg이라는 얘기다. 이런 부분 감안하고 레시피를 짜야 한다. 고구마는 씻고 껍질 제거 후 고두밥처럼 쪄서 사용했다.

오양주로 만들고, 이미 세 번째 덧술에서 고두밥 나눠 넣기를 했기 때문에 채주를 위해 열어 봤을 땐 고

구마가 완전히 삭은 상태였다. 곡물 량으로 계산했을 때 고구마가 약 24% 정도인데, 짜다 보니 색이 너무 진하고 고구마 맛이 느껴져 너무 많이 넣은 게 아닌가 싶었다.

집사람 이름까지 빌려 탁주, 약주 두 부문에 모두 제출했는데, 다행히 예선은 둘다 통과했지만 본선에 나온 술들을 보니 정작 고구마를 이용한 술이 나 뿐이어서 불길한 예감이 들었다. 나쁜 예감은 틀린 법이 없는 법. 여주까지 가서 빈 손으로 돌아오니 매우 허탈한 마음이 들었는데 익숙지 않은 고구마를 부 재료 쓴 게 탈락의 원인인 게 확실해 보였다. 막연히 좋아 보이는 게 좋은 게 아니라 손에 익고 경험하여 확실히 좋은 게 좋다는 평범한 진리를 새기는 순간이었다. (안녕, 고구마~)

한국가양주연구소 궁중술 빚기대회, 2020년(과하주)

궁중술 빚기대회는 한국가양주연구소가 주최하는 우리술 대회다. 한국가양주연구소 홈페이지 '술독(suldoc.com)' 내용을 봐서는 2012년에 1회 대회가 개최된 걸로 보여 벌써 10년이 넘었다. 왕에게 바치는 술 또는 국가 행사를 위해 궁궐 내에서 빚어진 술을 궁중술이라 하는데, 우리나라 고급 술과 술 빚는 문화를 알리는 취지에서 기획되었다 한다. 매회 새로운 주제를 제시하는 방식이 독특한데, 꽃술, 연엽주, 과하주, 곡주, 누룩술 등이 있었고 특히 2018년엔 코엑스에서 이화주 라이브 경연 대회를 열어, 현장에서 직접 자신이 만든 이화곡을 가지고 술을 빚어 보이는 진풍경을 보여줬다 한다. (치댄다고 땀깨나 흘렸을 듯)

참가 첫해 주제는 과하주였다. 발효 중 증류주를 넣는 포트 와인 타입의 본래 과하주도 좋지만, 다 된 발효주에 특별한 증류주를 투입하는 세리 와인 형태의 과하주를 내고 싶었다. 가능한지 미리 소장님께 문의 드렸고 괜찮다 하셔서 계속 진행했다.

참가신청서에 기입한 제조방법을 요약하면, 새앙주(생강을 넣은 술)를 먼저 달게 만들고(쌀:물 비율을 1:0.8로 하고), 여기에 새앙주 증류한 걸 2:1 비율로 섞은 다음, 엘도라도(El Dorado)라는 미국산 홉을 드라이 호핑하여 25도로 맞춰 낸다고 되어있다. 아마 은은한 생강 향과 시트러스 한 홉 향이 어울리면서 약간은 독한 드라이한 술을 기대했던 모양이다.

정작 당시 블로그를 보면 기대와 달리 맛과 향이 어정쩡했던 모양인데, 지금 와 생각해 보면 도수가 너무 높아 알코올 기운에 맛과 향이 가려지지 않았나 싶다. 어쨌든 부푼 마음을 안고 무려 방배동까지 직접 들고 가서 제출했지만, 아쉽게 탈락. 궁중술 빚기대회는 원하면 심사 결과를 받아 볼 수 있는데 이 때는 안되었던 것 같다. 정확히 무엇이 부족했는지 아직 미궁 속에 있다.

한국가양주연구소 궁중술 빚기대회, 2021년(연엽주)

두 번째 해는 연엽주가 주제였다. 연잎은 구하기가 쉽고 부 재료로 쓰임새가 많다. 연엽주를 빚을 땐 늘 연잎을 몇 장 넣을 건지가 고민이다. 아산 외암리 민속마을에 충남무형문화재로 지정된 연엽주가 있다 해서 방문한 적이 있다. 페트병에 갈색 연엽주를 받아 나오며 명성에 비해 좀 초라하단 생각이 들었는데 그 맛이 매우 셔서 놀란 기억이 난다. (생각만으로 침이 고인다.) 어쨌든 아산 연엽주는 10L 독에 연잎을 4~5장 쓴다. 따라 해봤는데 당시 내 블로그 기록을 보면 별로 좋지 않았던 모양이다.

"위의 맑은 술을 떠 보니, 쌀은 많이 가라앉은 상태이나 술이 전체적으로 맑지 않고 진한 황색 계통에 뿌옇고 부유물이 있는 상태로 좋아 보이지 않음. 약한 연잎 향이 나는 것 같기도 하지만, 단 찹쌀 술의 향에 밀려 크게 느껴지지 않음. 술이 너무 달아 연잎의 기운이 약함. 다만, 술 말미에 알싸한 듯한 연잎 기운은 남아 있음. 전체적으로, 너무 달고 독한 술은 다른 맛과 향을 가려버리고 어울리지 않음. 희석하여 별도 병입하거나, 과감하게 증류하여 가치를 높이는 방안을 고민할 것."

과유불급이란 말이 생각났다. 이전 과하주에서도 그랬듯이 맛 향에 있어 너무 강하게 만들다 보니 전체가 조화롭지 못하다. 연잎 사용 양을 줄이고 좀 가볍게 빚어야겠다 마음먹었다.

실제 출품주는 고두밥 찔 때 한 장, 덧술 시 한 장 이렇게 두 장을 사용했다. '실화 곡 향에 부드러운 질감, 전체적으로 드라이하면서 연잎 향이 은근히 감돈다'라고 채주 당시 평이 적혀있어 밸런스는 나쁘지 않았던 것 같다. 다만 너무 드라이한 듯해 평소 준비해 두었던 단술을 넣어 맛을 약간 조정하여 보냈는데, 결론은 탈락.

<자기 누룩 없으면 양조장도 만들지 마라>

21년 대회는 요청하면 심사결과를 보내줬다. 전체 평균 정도 점수에 순위로는 중간에 못 미쳤다. 점수 분류 중 균형 감에서 나쁨 쪽이고 심사위원 평가 의견이 '살짝 싱거운 느낌이 있다' '가수를 한 듯하고 그로 인해 맛이 반감된 듯하다'라는 걸 볼 때 마지막 가수가 독이 된 걸로 보인다. 이런 식으로는 안 되겠단 생각이 들었다. 대회에 나를 맞출 게 아니라 내 개성이 그대로 대회에 투영될 필요가 있다. 어울리지 않는 덧칠은 정작 탈락이 내 실력 때문인지 잘못된 덧붙임 때문인지 헷갈리게 만들기 때문이다.

5부. 지금, 빚으러 갑니다

나만의 누룩이 있고, 그걸 이용한 레시피도 있다. 이제 본격적으로 술을 빚어 볼 차례 지만 그렇게 빚어진 술이 어떤 술 이어야 하는지 고민이 깊어졌다. 내가 추구하는 색, 맛, 향은 어떤 것이며 내 술에 어떻게 녹여 넣을 지 그 간의 경험을 정리해 본다.

<자기 누룩 없으면 양조장도 만들지 마라>

내 술 색, 다채로운 밝음 혹은 맑음

혀는 거들 뿐, 눈이 먼저 맛본다

다양한 설화곡 실험을 하면서 술 색이 얼마나 중요한지 깨달았다. 아무리 맛과 향이 좋아도 일단 색이 진하거나 부유물이 있으면 흥취가 떨어졌다. 공부를 하면서 알게 된 사실이지만, 그건 우리 인간이 미각이나 후각보다 시각이 더 발달했기 때문이다. (우리 뇌 절반이 시각 정보 처리에 이용된다.) 한마디로 '보기 좋은 떡이 먹기도 좋은' 것처럼 '혀는 거들 뿐, 눈이 먼저 맛본다.

이는 인류의 오랜 채집생활에서 터득된 것으로, 사람들이 파란색 음식을 꺼리고 붉은색 음식을 선호하는 이유가 자연에 파란색 음식이 드물고, 잘 익은 과일은 대부분이 붉은색이기 때문이다.

여기 흥미로운 두 가지 실험이 있다.

커피를 파란색, 투명, 흰색 잔에 담았을 때, 투명 또는 흰색 잔에 담긴 커피에서 강한 향과 쓴 맛을 느꼈다면 파란색 잔은 그렇지 않았다. 이유는 투명이나 흰색 잔의 경우 커피 색이 그대로 도드라져 보여 본연의 쓴 맛을 인식하지만, 파란색 잔의 경우 갈색의 농도를 완화시켜 덜 쓰게 느껴진다는 것이다.

비슷한 다른 사례로 화이트 와인에 붉은색 색소를 타서 주면, 레드 와인 맛을 느낀다고 하니 가히 눈이 맛을 바꾼다고 해도 과언이 아니다.[17] 따라서 술 맛과 향도 중요하지만 어떻게 보이는 가가 더 중요하고 병 모양과 색, 뚜껑, 라벨, 잔 등 여러 가지 요소가 있지만 우선 술 색과 투명도에 대해 먼저 생각해 보고자 한다.

우리 술 색

술 색은 곧 술의 정체성과 연결되기도 한다. 최행숙 전통도가 '아황주'는 아황(鴉黃)이라는 이름 자체가 거위 새끼의 노란 털 빛을 말하는데, 과하지 않은 단 맛과 산미 그리고 깔끔한 뒷 맛이 색과 잘 어울린다는 평을 받고 있다. 최근 출시한 내올담 '골드(GOLD)'는 이름과 같이 황금색을 모티브로 삼고 있는데, 알다시피 황금은 성공, 성취, 승리, 변치 않는 이미지로 반짝이는 맑은 황금빛 색이 술의 가치를 한껏 끌어올린다. 출시한 지 좀 되었지만, 술 색 하면 빠지지 않는 게 술샘의 '술 취한 원숭이'다. 붉은색 곰팡이를 입힌 홍국 쌀로 빚어 진한 붉은빛을 띠고 있는데 특이한 라벨 디자인(술샘 신인건 대표님 말이 대학시절 술 먹고 했던 짓이라고……)과 더불어 오랫동안 사랑받고 있다. 독특한 비주얼로 복순도가 막걸리와 함께 단연 홈 파티 인기 상품이다.

주종 별 술 색을 따져 보면, 쌀 막걸리 경우 '희고 깨끗한' 색이어야 하고, 밀 막걸리는 '연한 아이보리' 색을 띠게 되는데, 혹 다르거나 과하면 원료와 누룩이 어떤 영향을 줬는지 살펴볼 필요가 있다. 맑은 술(청주)은 이름처럼 '맑고 투명'해야 하고 최고의 청주는 '연하고 투명한 연두색 빛'을 갖는데, 술에서 푸른빛이 도는 것은 그만큼 신선하고 좋은 쌀을 이용했다는 증거다. 특히 이물질이나 미세한 먼지가 없어야 그 가치가 배가 된다[18] 하니 중요한 포인트라 생각되었다.

설화곡에 대해 이야기할 때 여러 번 언급을 했지만, 일단 술 색이 진하면 스스로도 감흥이 떨어진다. 당화력도 좋고 발효력도 좋지만 어디까지나 원하는 색을 낼 수 있을 때 만이다. 따라서 누룩 사용에 매우 주의를 기해야 하고, 설화곡은 표면에 흰 곰팡이가 보이면 바로 다음 단계로 넘어가야 불필요한 포자 또는 곰팡이 추가 생성을 막을 수 있다.

일반 시중 밀 누룩을 사용할 때도 씨앗술을 이용하거나 덧술 횟수를 늘려 양을 최소로 해야 밀이 가지는 '누런 색'을 줄일 수 있을 것이다. 밀기울을 짜 주는 건 당연하고.

일단 누룩이 통제가 되면 주 재료인 쌀을 살펴봐야 한다.

당연히 색이 바랜 묵은쌀보다는 햅쌀을 이용해야 하고, 깨끗이 정성껏 씻어 표면에 이물질이나 지질, 단백질 등을 제거해야 쌀 본연의 색이 발현된다. 사케처럼 쌀을 깎아내어 남긴 정도(도정율)를 60% 이하로 둘 수도 있지만, 쌀을 물에 오래 담

<자기 누룩 없으면 양조장도 만들지 마라>

가 놓는 것도 좋은 방법이 될 수 있다.

'산장'이라 하는데, 쌀을 물에 오래 담가두면 자연 미생물(유산균)에 의해 쌀의 단백질이 제거되어 향이 풍부하고 맛이 크림처럼 부드럽고 깔끔한 술이 만들어진다.[19] 국순당 박선영 본부장님 말씀대로 우리 조상들은 도정 대신 미생물을 이용해 쌀을 더욱 정교하게 깎아낸 것과 다름없는 것이다.

쌀 표면에 구멍이 난 게 보인다.
@<향미와 안정성이 향상된 쌀발효주의 제조방법> 특허 중 캡처

쌀의 종류에 따라서도 색에 많은 차이가 있다.

왼쪽 위 멥쌀술, 오른쪽 찹쌀술, 아래 혼합 (술 색 차이가 뚜렷하다.)

멥쌀보다는 찹쌀 색이 더 진하고, 찹쌀보다는 현미 색이 더 진하다. (흑미는 말할 것도 없고) 따라서 좋은 술 색을 쫓는다면 멥쌀을 주로 이용하고, 차라리 아름다운 황금색이 필요하다면 찹쌀 중심으로 레시피를 짜는 게 좋겠다.

예전에 송도향 전통주조를 방문한 일이 있었는데 강학모 대표님께서 맛을 보라 내어주신 술 색이 아주 연한 붉은빛을 띠고 있어 매우 보기 좋았다. 어떻게 이런 색이 났느냐 여쭤 봤더니, 흑미를 약간 추가해 만들었다고. 송도향은 원래 멥쌀 중심의 드라이한 우리 술을 만들기로 정평이 났는데, 여기에 약간의 붉은색이 더하니 한층 고급스럽단 생각이 들었다.

색 더하기

|

쌀, 물, 누룩만으로도 충분하지만 때에 따라 특별한 색을 내고 싶을 때가 있다. 이럴 경우 색이 있는 동결 건조 분말 재료를 쌀 10kg 기준 30~50g 정도 술 완성 막바지에 넣으면 된다. 색에 따라 치자(주홍색 빛을 띠는 노란색), 지초/오미자/자색고구마(붉은색), 강황/울금(노란색), 백련초(엷은 보라색), 파프리카(빨강/주황/노랑/초록색), 흑미(검은색) 등이 있고 인터넷 쇼핑을 이용하면 쉽게 구할 수 있다.

술 색에 대해 이야기하고 있지만, 얼마나 맑은 가(투명도)도 매우 중요한 요소다. 특히 우리 맑은 술(청주)의 가치에 결정적이다. (괜히 청주가 아니다.) 이어서 여과에 대해 생각해 보자.

저온 침전 여과

|

수정처럼 맑은 술을 갖고 싶은 건 술을 빚는 모든 이의 바람일 것이다. 하지만 이를 위해 초보자가 할 수 있는 건 많지 않다. 가장 쉬운 게 저온 침전 여과다. 우연히 들른 '골짝나라 연구소' 블로그(주인장: 섬진강누룩꽃)에서 잘 설명된 구절을 찾았다.[20]

"가장 맛있는 술은 아무런 압력을 가하지 않고 원액 자체 무게 등에 의한 압력 차로 여과하는 것으로 자연스럽게 용수를 넣어 거른 순수한 맑은 술이다. 용수를 넣어 거른 술을 0~4도에 보관하면 술 속의 단백질과 기타 물질 등이 응축하여 밑으로 침전되어 맑은 술은 위로 고이게 된다. 술의 당도가 높아 점성이 강해 침전이 일어나지 않을 시에는 상온에서 침전을 시킨 후 저온에 두거나 물을 희석해 점성을 낮출 수 있으나 알코올 도수가 낮아지는 단점이 있다."

두가지 술을 짜서 냉장고에 막 넣은 후(왼쪽), 시간에 따른 침전 정도 (중간, 오른쪽). 술 특성에 따라 속도와 정도가 다르다.

다시 말해, 술을 짜 낸 후 냉장고에 보관하면 시간이 지나면서 맑은 술이 고인다. 이걸 떠 내 옮겨 담는 식으로 몇 번 하면 아주 맑은 술을 얻을 수 있다. 적은 규모의 양조장에서도 많이 쓰는 방법으로 알고 있고 굳이 단점을 꼽자면 시간이 오래 걸리고 냉장고 용량이 커야 한다는 거.

참고로 침전 속도에 대해 간단히 알아두면 좋겠다. 물 양이 많을수록, 도수가 낮을수록, 단맛이 적을수록, 온도가 낮을수록 그리고 경험상 밀가루를 사용할수록 침전 속도가 빠르다. 침전이 잘 된 맑은 술을 들고 가면 꼭 물어오는 사람이 있다.

"어떻게 술이 이렇게 맑아요?"

그럼 보통 이렇게 얘기해 준다.

"시간이 약이죠."

필터 프레스 여과

하지만 사람 사는 게 항상 느긋할 수만 없고, 때 맞춰 맑은 술이 필요한데 냉장고 앞에서 발만 구를 순 없는 일이다. 재미있는 에피소드를 하나 소개하자면, 2019년 가양주 주인선발대회는 경기미 참드림 멥쌀을 이용해 술을 빚어 맑은 술 6L를 제출해야 했는데, 멥쌀 다루는 게 서툴렀고 출품 기간이 짧아 보통 2개월 이상 걸리던 걸 1개월 만에 채주 했더니 냉장고에 넣어 두어도 도무지 맑아질 기미가 보이지 않았다. 보낼 시간은 다가오고……

암만 가늠해 봐도 5L 정도밖에 안되어 급하게 여과 방법을 찾아봤는데 그때 눈에 띈 게 필터 프레스 여과였다.

보통 와인 여과에 사용된다는데 소형이 있다 해서 <예스와인>에 들어가 봤더니 무려 77만 원이나 했다. (지금은 99만 원이다) 나중에 계속 사용할 텐데 비싸더라도 살까? 사용법도 잘 모르는데 사면 잘 쓸 수 있을까? 이렇게 오락가락하던 차에 국내에 관련 장비를 수입하는 업체를 알아냈고 급한 마음에 무작정 전화를 걸었다. "저...... 소형 여과기 수입 업체죠? 혹시 한 번만 제 술 여과해 줄 수 있어요? 사례는 드릴게요." 상대방은 잠시 말이 없다가 "예. 가능합니다. 그런데 여과지는 소모품이고 저희들도 사용 후 세척해야 해서요. 25만 원은 주셔야 합니다."

여과기가 77만 원인데, 한 번 여과해 주는데 25만 원이라...... 깨끗이 포기하고, 출품도 덩달아 강제 포기되었다. (물이라도 좀 타서 6L 맞춰 보냈다면 어떻게 되었을까...... 한 번씩 쓸데없는 생각이 들곤 한다.)

나중에 필터 프레스 여과 사용기나 동영상을 보면서 사질 않길 잘했단 생각이 들었다. 세밀한 펌핑 속도 조절이 필요하고 압착이 조금만 느슨해도 위아래로 술이 빠져나와 집에서 조금씩 사용하기 쉽지 않을 것 같았다.

감압 여과

|

필터 프레스 여과는 포기했지만 여과에 대한 열망까지 포기한 건 아니었다. 뜻밖에 이 문제 해결책이 가까운 데서 찾아졌다. 바로 한국가양주연구소 주인반 마지막 수업에 감압 여과 실습이 있었던 것. 화학 실험에서 왔을 법한 감압 여과 방식은 '여과지 내부의 압력을 대기압보다 낮게 조작해서 흡입하는 형태'라고 하는데 쉽게 말해 진공 펌프로 맑은 술만 빨아 내는 것이다.

필터 프레스 이후 절호의 기회라고 생각했던 나는 그날 수업을 하나도 빠짐없이 녹화를 하고, 여과에 사용된 구성 요소를 모두 사들였다.

총 72만 원 들었는데 (그중 진공 펌프가 48만 원), 생각해 보니 필터 프레스 여과기 가격이나 오십보백보. 혹시 감압 여과에 관심 있는 분이 있을지 몰라 구성에 필요한 요소를 정리해 본다.

<자기 누룩 없으면 양조장도 만들지 마라>

게스트 진공펌프(※주의: 반드시 '-' 수치가 있는 밸브에 꽂아 쓸 것. 반대로 꼽으면 술이 솟구치는......), 가지 달린 삼각 플라스크 3L(맑은 술 받는 용도), 부흐너 깔때기 내경 150mm, ADVANTECK 정성 여과지 2번/150mm, 부흐너 용 고무 개스킷 6본, 가지 달린 삼각 플라스크 1L(진공 트랩 용, 술이 역류하는 걸 막아 준다), 진공 튜브 8호(내경 8mm), 여과용 규조토 등.

감압 여과 전체 구성도

전체 구성은 아래 구성도를 참고하면 되고, 앞서 얘기했다시피 진공펌프 밸브 위치에 주의한다. 규조토는 1리터 당 2스푼 정도 넣으면 되고, 여과지는 불순물 제거, 종이 냄새 빼기, 접착력 향상을 위해 따뜻한 물에 2~3분 간 담근 후 사용한다. 맑은 술을 받는 플라스크 용량이 3L지만 중간에 가지가 있어 2L가 좀 넘으면 멈춰야 한다. 자칫 욕심 부리 다간 역류 위험이 있으니 주의한다. (역류 되면 펌프로 술이 들어가는데......)

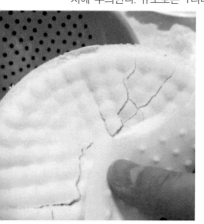

아무래도 여과를 하게 되면 맛과 향이 조금 빠진다. 그게 더 좋다는 사람도 있고 아닌 사람도 있는 것 같다. 내 경우에는 풍미가 약해지니 아닌 쪽에 가깝다. 대회 출품이나 선물 용도가 아니면 저온 침전 여과로 충분할 것 같다.

맷돌 여과(aka. 역기 여과)

|

글을 마무리하려다 좋은 아이디어인데 실제 해 보지 못한 여과 방식이 있어 추가해 본다. 일명 맷돌 여과인데, 문경 호산춘 관련 정보를 얻으려 다니다 어느 기사에서 맷돌로 호산춘 내리는 사진을 보게 되었다. <박순욱 술기행(69)> 중 캡쳐)

아닌게 아니라 한국가양주연구소 지도자반 수업 중 한국주류종합연구소 심형석 소장님께서 하신 말씀이 생각났다.

"손으로 짜는 방식은 천이 늘어나 지게미가 빠져나가기도 하고 힘도 많이 들고 효율이 매우 낮다. 대신에 극세사 망을 쓰면서 위에 매우 무거운 물체를 올려놓아 천천히 자연 여과가 되게 하면 더 좋은 결과를 얻을 수 있는데, 주의할 점은 반드시 냉장 상태에서 해야 오염과 향미 손실을 줄일 수 있다."

같은 맥락에서 한국가양주연구소 카페 글 중 비슷한 사례가 있고, 혹 맷돌이 없는 경우 역기나 아령을 이용해도 좋다는 꿀 팁이 있으니 참고한다.

그럼 내 술은?

|

설화곡은 100% 쌀누룩으로 주재료 본연의 색을 내는데 도움을 준다. 밀 껍질이 섞여 있지 않은 것만으로도 큰 이점을 가지게 된 것이다. 특별한 색을 내는데도 용이하다. 누룩을 만들 때 색깔이 있는 곡류를 섞어 만들 수 있고, 오양주 제조 과정 중 적당한 덧술 시점을 골라 사용할 수도 있다.

내가 원하는 색은 다채로운 밝은 색이다. 그 간의 과정을 돌아 보면 어떤 경우에도 술 색이 진해선 안된다. 색을 더할 때도 아주 연하게 은은하게 들여야지, 진하면 마시는 사람에게 의도치 않은 느낌을 줄 수 있다. 그 느낌이 술을 마시고 싶다는 감정일 수 있지만 지금껏 경험 상 아닌 것 같다.

탁주는 당연히 하얀 색이여야 하고, 약주로 만들 때는 가능한 오랫동안 저온 여과하여 맑은 술을 내는게 중요하다. 혹시 가치를 더하기 위해선 별도의 추가 여과가 필수고 많지 않은 양이라면 논의한 대로 감압 여과가 가장 좋은 방법으로 생각된다.

내 술 맛, 달지않은 조화로움

입맛의 변화

술 맛을 이야기하기 전에 입 맛을 먼저 논하는 게 좋겠다. '맛은 인간의 모든 욕망을 반영한 것'이라는 식품 공학자 최낙언 님 말처럼 맛은 뿌리가 있고, 시대에 따라 욕망이 조금씩 바뀌어 왔듯 선호하는 맛도 달라지고 있다. 내가 사회에 첫 발을 내디딘 1989년도는, 막걸리는 시큼털털하면서 뭔가 묵직한 신맛이 났다. (그래서 우리 또래는 다 싫어했다.) 현재 가장 비슷한 맛을 찾으려면 금정산성 막걸리 정도일 텐데, 자가 누룩을 이용하는 것 외 시중 막걸리들과 가장 큰 차이점은 '아스파탐'을 사용하지 않는 것이다. 알려진 것과 같이 아스파탐은 설탕의 200배 단맛을 내는 인공 감미료로, 1991년 국세청 사용 허가로 세상을 지배하게 된다.

입맛의 가장 극적인 변화는 신맛이 아닐까 싶다.

내가 처음 우리 술을 빚기 시작한 2016년에는 술에 신맛이 난다 하면, 술이 오래되었거나 젖산균이 과도하게 증식된 잘못된 술(산패)로 여겨졌다. 그러던 것이 2020년 대한민국주류대상 최고상을 양주도가 '별산막걸리'가 타게 되면서 신맛(산미) 신세계를 열었다.

별산막걸리는 신맛을 극대화하기 위해 발효 초반에 식초 균을 넣는다는데, 이런 입맛 변화는 총 산도 0.5%라는 규제마저 해제시켜 버렸다. (별산이라는 이름 자체가 '특별한 신맛'을 의미한다.)

별산막걸리와 식초균 @<박순욱 술기행(23)> 캡쳐

신맛이 대세라는 걸 보여주는 사례를 하나 들고 싶다.

나는 매년 우리술 대회 입상 작들을 분석해 보곤 하는데, 2021년 입상 작 분석 결과는 흥미로웠다. 탁주 부문 총 14개 술 대상으로 입상 작 대부분이 알코올도수 16도 이하의 가벼운 술들이 올랐는데 (난 17.2도), 내 술 산도가 0.31%로 가장 낮았고 똑같은 산도의 다른 술과 함께 공교롭게도 장려상을 받았다. (장려상이 가장 낮은 상이다.)

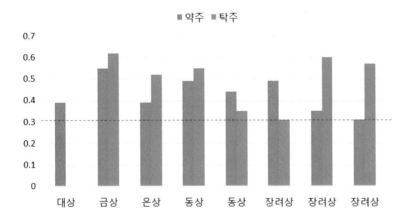

2021년 가양주주인대회 입상 작 산도 비교 (맨 끝 약주 장려상이 나다.)

나보다 높은 상을 받은 술들은 대체로 당도와 산도가 높아 한 마디로, 단 맛이 강하면서 산미가 있는 술들이 입상한 것이다. (특이하게 금상을 받은 술은 알코올 도수 11.8도에 당도 23.3 브릭스 그리고 가장 높은 0.62%의 산도를 가진 술이었다. 예상컨데 매우 가볍지만 또 상당히 달고 게다가 신 술이라는 말)

앞으로 술맛은 어떻게 변할까? 나는 어떤 술 맛을 추구해야 할까?

단 맛

|

우리 술은 기본적으로 달았다. 한국전통주연구소 박록담 소장님은 <다시 쓰는 주방문>에서, "과거 우리 조상들이 손수 빚어 즐겼던 가양주들은 지금의 술 맛과는 전혀 다른, 그 맛이 매우 달고 부드러우며, 쌀과 누룩만으로 빚은 술에서 꽃이나 과일 향기와 같은 깊은 향취가 있는 방향주로서, 지금의 술처럼 알코올 도수만 높아 조금만 마셔도 금세 취하는 그런 술이 아니었다"[21] 라고 한다.

아무래도 과거에는 설탕이 지금보단 귀했을 것이고, 가양주 문화를 안주인(여성)

<자기 누룩 없으면 양조장도 만들지 마라>

이 주도하면서 단맛에 대한 선호도가 남자보다 더 높았을 것 같다. 게다가 저장과 보존 관점에서도 단 게 유리했을 듯. 결정적으로 박 소장님은 우리 옛사람들은 술을 적게 마시면서 술이 갖는 고유한 풍미를 즐기는 음주 습관과 문화를 가지고 있었기 때문에, 자연스레 한꺼번에 많이 마실 수 없는 단 형태를 띠었다 하셨는데 수백 종의 우리 술을 복원하신 대가다운 통찰력이라 생각되었다.

술 빚기 과정을 돌아보면 상대적으로 단맛을 내기 쉬워 보인다. 크게 두 가지 방법이 있는데, 먼저 물 양 대비 쌀을 많이 쓰는 것이다. 기본 레시피가 쌀:물 1:1이라면 1:0.8 만 되어도 매우 단 술이 만들어진다. (대표적인 술이 차마 삼키기 어렵다는 석탄주다.) 왜냐면 알코올 도수가 일정 이상 올라가면 더 이상 발효가 안되기 때문에 남은 당은 모두 잔당으로 축적되어 달아 진다. 극단적인 예가 동정춘이다. 논 한 마지기에 1병이 나온다는 동정춘은 쌀:물 비율이 11:1로 가히 쌀 꿀이라 할 정도로 달고 가격도 한 병에 50만 원에 이른다.

다른 방법은 술 빚는 과정에 알코올 발효를 의도적으로 억제하는 것이다. 대표적으로 동양주, 청명주 같이 고두밥 덧술 시 고두밥이 뜨거울 때 혼합하는 것이다. 이렇게 되면 높은 온도에 효모가 죽어 발효가 잘 안 된 도수 낮은 단 술이 된다.

아니면 품온을 높여 효모를 죽일 수도 있는데, '보쌈'이라고 이불 등으로 술독을 싸 온도를 높이는 방식이다. 마찬가지로 도수는 낮지만 단 술이 된다. (참고로 품온이란 술독의 가장 안쪽 온도를 말한다.)

단맛 관련 한 가지 주의해야 할 사항은, 달다고 해서 모두 같은 단 맛이 아니라는 것이다. 쌀에 대해 설명할 때 이야기 했지만, 아밀로스 함량이 많을수록 메지고, 아밀로펙틴 양이 많을수록 찰 지다. 따라서 찹쌀 술은 전분 조직이 느슨하여 쉽게 파괴되고 당화가 빠르지만, 가지가 갈라지는 부분의 포도당 사슬은 잘 분해되지 않고 비 발효성 당으로 남는다. 이는 곧 바디감과 끈적이는 단맛으로 이어진다. 반면에 멥쌀로 빚은 술은 단맛이 나도 깔끔하고 경쾌한 느낌이 든다. 아무래도 고급 진 단맛이라면 역시 멥쌀술이 아닐까 싶다.

맨 처음 우리술 빚기에 도움을 받았던 내올담 양조장 안담윤 대표님은 '반주로 마시는 술은 달지 않아야 한다'는 지론을 갖고 계셨고 본인 뜻대로 드라이한 술을 출시했다. "단맛을 좋아하는 대중에게는 다소 어려울 수 있으나, 반주로 음식과 함께 한 병을 금방 비울 수 있는 마성의 매력을 갖추었다."는 대동여주도 이지민 대표님 말씀을 굳이 인용하지 않아도 단 술의 입지가 계속 줄고 있고, 아주 극단적으로 달지 않다면, 매우 드라이하거나 다른 맛과 조화를 따지는 그런 분위기가 조성되 리라 생각한다.

개인적으로도 단 술은 좋아하지 않지만, 술이 필요한 자리에 따라 단맛이 있어야 할 때가 있다. 그런 경우 찹쌀 밑술, 찹쌀 덧술로 물을 적게 써 아주 단 술을 만들어 맑은 술만 떠 냉장 보관 해 두면, 필요할 때 필요한 만큼 블렌딩 해 쓸 수 있어 요긴 하니 기억해 두면 좋겠다.

신 맛

|

 로버트 던 미국 노스캐롤라이나 교수 등이 과학저널에 실은 논문에 따르면, 신맛은 다른 맛에 비해 거의 연구가 안 돼 '잃어버린 맛'으로 불린다 한다. 그럴 만도 한 게 다섯 가지 기본 맛 가운데 단맛은 칼로리, 감칠맛은 단백질, 짠맛은 몸의 필수 성분인 소금기, 쓴맛은 독 성분이 들어있음을 가리키지만 신맛은 무얼 의미하는지 불명확하기 때문이다. 연구자들은 영장류와 유인원의 공통 조상이 6000~7000만 년 전 비타민 C를 합성하는 능력을 잃어버렸기 때문이 아닐까 추정하고 있다. 발효 과정 중 효모와 젖산균으로 인해 칼로리가 높아지고 아미노산과 비타민 함량이 늘어나는데 이런 결과에 자연적으로 끌리는 거라는데 잘 모르겠다.

 최근의 신맛 열풍은 오히려 식품 공학자 최낙언 님 말씀이 좀 더 설득력 있어 보인다. "신맛 자체는 그다지 매력적이지 않다. 상한 음식의 징조이기도 하기 때문이다. 하지만 다른 맛(주로 단맛)과 어울리면 맛과 향을 증폭시키는 역할을 한다."[22] 게다가 신맛은 훌륭한 자극제이기도 하니, 아닌 게 아니라 새콤한 맛을 생각하면 침이 고인다.

 특별히 근거를 찾진 못했는데, 국민소득 3만 불 시대에 접어들면 단맛에서 신맛으로 기호가 넘어간다는 얘길 들은 적이 있다. 양에서 질로, 생존의 문제에서 개개인의 개성을 추구하는 분위기가 반영된 게 아닌가 싶다.

 서두에 얘기했지만, 신맛을 꺼리는 시기에 술을 배우고, 개인적으로도 신맛을 좋아하지 않다 보니 막상 술에 산미를 부여하는 게 어렵게 느껴졌다. 게다가 굵직한 우리술 대회마다 적당한 산미를 요구하는 추세여서 더욱 그랬다. 예를 들면 이런 식이다. "선생님 술 정말 맛있네요. 그런데 산미가 좀 있으면 더 좋을 것 같아요."

 결국 이 문제로 류인수 소장님께 고민을 털어놓았더니, 역시 우문현답.

"술 맛을 얘기하는 사람들은 본인들이 마셔봤던 어떤 술을 기준으로 응답하는 겁니다. 선생님 술이 거기 맞춰지면 그냥 여러 술들 중 하나가 될 뿐이에요. 평범한 알려진 술을 쫓는 것보다 오히려 내가 좋아하는 나만의 술에 더 집중하는 게 좋지 않을까요?" (당연히 아무 말도 못 했다. 옳다 못해 뼈를 때린다고 해야 할까.)

어쨌든, 술에 있어 산미는 중요하고 크던 작던 필요한 요소다. 혹시 관능 평가 항목을 본 적 있는지 모르겠지만, 색, 맛, 향이 있고 균형감이 반드시 있다. 술 전반에 대한 균형감일 수 있겠지만, 맛 측면에서 오미가 조화로운 술이 좋은 술일 것이다.

내친김에 술에 산미를 부여하는 방법에 대해 한 번 생각해 보자.

제일 쉬운 방법이 쌀 양 대비 물 양을 늘려 잡는 것이다. 물 양이 많아지면 단맛이 줄어들어 다른 맛이 두드러지고, 알코올 도수가 낮아 유산균이 더 살아남으며 신맛이 커진다. 덧術 시점도 산미에 영향을 준다. 보통 밑술을 하면 증식이 빠른 젖산균, 초산균이 먼저 자리를 잡고 다른 잡균 침입을 막지만, 이내 효모가 당을 먹고 급격히 늘어나면서 알코올 도수가 10도 이르면 더 이상 유산균은 힘을 쓰지 못한다. 만약 효모 생육을 좀 늦추면 어떻게 될까? 아마 더 많은 산이 생성되었을 테고, 생성된 산은 없어지지 않으니 술에 산미가 들 것이다.

즐겨 들르는 인터넷 카페 '술 만드는 사람들'에서 얻어 들은 것도 유용해 보인다. 물 양을 줄여 술을 달게 만들되 채주 시점을 늦추는 방식으로 산미를 부여할 수 있다고 한다. 시간이 지나면 자연스레 술이 시어지는 원리를 이용한 것으로 앞의 방법과는 다르게, 달면서도 새콤한 맛을 얻을 수 있다니 적용해 봄 직 하다.

입맛을 얘기하면서 별산막걸리에 대해 얘기했는데, 발효 초반 적당한 시점에 별도의 초산균을 넣는 것처럼 우리 술 기법 중 쌀을 오래 담가 놓는 '산장법'을 이용할 수도 있다.

쌀을 오래 물에 담가 놓으면 쌀이 약간 삭으며 pH가 낮아지는데 이 상태에서 고두밥을 지으면 산도가 높은 원료를 투입하는 것과 같아 신맛이 증가할 뿐만 아니라, 쌀에 배인 콤콤한 향이 나중에 과일 향이나 꽃 향으로 발현되어 일석이조의 효과를 얻을 수 있다. (왼쪽 오래 담가 놓은 쌀 사진. 거품을 일으키며 삭고 있다.)

비슷한 방식으로 누룩을 물에 불렸다가 이용하는 수곡을 들 수 있다.

물에 불리는 과정에 젖산균 등 유기산이 생성되어 사용 시 산미가 높아진다. 보통 단양주가 이양주나 삼양주보다 새콤한 이유가 여기에 있다.

쓴 맛

언젠가 우리술 대회를 앞두고 나보다 먼저 수상 경험이 있던 한 기수 앞 지도자반 선생님은, 대회 입상 메커니즘이 있다며 몇 가지 조언을 해 주셨는데, 일단 술이 쓰면 탈락이라는 것이었다. 그러면서 어느 정도 단맛이 있어야 입상 가능성이 높아진다 하신다. 말씀을 듣는 내내 <A Bittersweet Life> 즉 <달콤한 인생>이라는 영화가 생각이 났다. 영어 원문으로는 '쓰지만 단' 인생인데 왜 번역을 '달콤한' 인생으로 했을까? 영화 제목도 쓰면 흥행 탈락인가?

보통 사람들은 쓴맛을 싫어하지만 맥주의 다채로운 쓴맛처럼 다른 맛, 향과 어울리는 독특한 쓴맛은 새로운 경험을 선사한다. 최근 시음 의견 중 '쌉사름하다'는 표현이 조금씩 눈에 띄는데 개인적으로 반갑다.

맥주 @pixabay.com

어쨌든 '쌉싸름'하려면 '조금 쓴맛이 있는 듯' 해야 하기 때문에 술에 쓴맛이 너무 도는 건 피해야 하겠다. 그럼 언제 왜 술이 써 질까? 여기저기 의견들을 수집하고 개인 경험을 더해 술이 써지는 경우를 정리해 봤다.

1) 발효가 덜 된 경우
 - 단백질이 완전히 분해되지 않아 쓴맛이 남

2) 누룩을 많이 쓴 경우

- 효모 자체가 쓴맛이 남, 완전 발효가 이뤄지면 단맛이 없어 더욱 그렇게 느낌

3) 고온에서 발효가 진행된 경우
   - 효모는 30도 이상에서 죽기 시작, 효모가 분해되며 쓴맛이 남

4) 술지게미를 장기 방치했을 경우
   - 침전물 자체가 효모의 자기 부산물, 아미노산 취(장내) 동반

5) 쌀의 단백질이 과다한 경우
   - 단백질이 아미노산으로 바뀌는데, 몇몇 아미노산은 쓴맛을 냄

6) 너무 빠르게 발효가 진행될 경우
   - 아미노산 양이 폭발적으로 증가, 쓴맛을 내는 펩타이드를 강하게 느낌

경우만 놓고 보면 패턴이 없어 보이지만, 원인으로 정리하면 두 가지 키워드가 도드라진다. 우선 단백질이다. 쌀은 전분(탄수화물), 단백질, 지방(지질) 등으로 구성되는데, 전분은 알코올로 단백질은 아미노산으로 지질은 향기 성분으로 바뀌며 술의 풍미에 영향을 미친다. 특히 단백질이 아미노산으로 변하는 과정에 쓴맛을 내는 물질(펩타이드)이 생긴다니 우선 단백질 양을 줄이는 게 좋을 것 같고(단백질이 적은 쌀 품종을 선택하거나, 좀 더 쌀을 씻어내거나, 물에 담가 놓는 시간을 늘려 밖으로 배출시키거나), 쓴맛이 있을 땐 채주를 좀 늦추거나 냉장 숙성을 통해 완전히 분해되도록 여유를 가질 필요가 있을 것 같다.

다음 누룩이다. 효모 자체가 쓴 맛이 나고 죽어 분해 시 쓴맛이 난 다니, 누룩 양을 적게 쓰는 노력이 필요할 것 같고, 고온에 노출되지 않도록 해야 하는데, 기본적으로 무더운 여름 술 빚기는 피하고 품온이 높아지면 뚜껑을 열어 위아래 잘 저어주는 등 미생물이 건강하게 살아가도록 관심을 가져야겠다. 탁주 경우에 너무 오래 두지 말고 제 때 마시거나 지인 선물로 소비하고, 혹시 오래 둘 요량이면 맑은 술만 떠 청주로 보관하면 써지는 일은 줄어들 듯.

그 밖에 맛

대표적으로 곡물 발효주의 특징인 구수한 맛이 있다. 한국인 입맛에 중요한 요소라는데 단백질이 아미노산으로 분해되어 나는 맛이다. 문제는 이 맛이 술이 숙성되면서 점점 강해진다는 것이다. 중국 소흥 지방의 유명한 술 소흥황주처럼 묵힐수록 가치가 올라가기도 하지만 보통 장 내라 하여 별로 환영 받지 못한다. 그렇기 때문

에 빨리 마시거나 지게미를 완전히 제거하고 숙성하는 게 좋다.

마지막으로, 맛이라 부를 수 있을지 모르겠는데, 시원한 맛 즉, 청량미가 있다. 청량미는 술에 녹아 든 이산화탄소로 인한 것으로 온도가 낮을수록 강하게 느껴지니 차게 마시면 좋다.

그럼 내 술은?

|

퇴근 후 한 잔 술이라면 달콤한 게 좋겠지만 단 술은 금방 질린다. 단맛이 강조되기 보다는 다양한 맛의 조화를 추구하고 싶다. 설화오양주는 전체적으로 멥쌀 중심 레시피로 달기 보단 약간 드라이하면서 경쾌한 단맛이 주가 된다. 그러다 보면 쓴맛과 알코올 자극이 두드러질 수 있는데 이런 부분을 덧술3에 찹쌀을 선택하는 방식으로 보완한다.

더불어 최근 경향을 반영하여 어느 정도의 산미를 부여할 필요도 있는데, 술의 밸런스라는 측면에서 중요하고 대중의 요구도 무시할 수 없는 까닭이다. 설화오양주는 덧술3 찹쌀고두밥을 산장하여 적용하는 방식으로 술의 산도를 높인다. 달지않은 오미의 조화로움 이게 내가 추구하는 내 술의 맛이다.

<자기 누룩 없으면 양조장도 만들지 마라>

내 술 향, 원한다면 얼마든지

나일강의 정원

내 사무실 책상에는 빈 향수병이 하나 있다. 향수는 남아 있지 않지만 코를 가까이 대면 향이 난다. 'UN JARDIN SUR LE NIL', '나일강의 정원'이라는 에르메스의 이

향수는 2000년 초 유럽 출장 길에 만났는데 같은 시리즈 여러 향수 중 단연 내 마음을 사로잡았다. 시원한 첫 향에 이은 편안한 연꽃 향, 그리고 신선한 풀 숲 한가운데 있는 듯한 느낌은 이름대로 나일 강가를 거니는 듯하다. 무엇보다 이 향수는 30대 중반 혈기 왕성했던 그 시절을 떠올리게 한다. 시각, 미각, 청각, 촉각 등은 대뇌에서 정보가 처리되어 인식되지만, 후각은 거리상으로 가장 가까운 대뇌변연계에 직접 전달된다.

이 영역엔 기억, 학습, 감정을 관할하는 해마와 편도체가 있다. 다시 말해, 우리가 맡은 향은 미처 해석(인지)되기 전에 심연에 기억된 어떤 감정으로 솟아난다. '프루스트 효과'라고도 하는 이 현상은 '나일강의 정원'이 내게 특별히 각별한 이유다.

모든 술 빚는 이들은 자기 술이 복합적인 향미를 가지길 원한다. 그런데 문제는 그게 어떤 향이여야 하는지 정확히 설명할 수 없다는 것이다. 통상 꽃 향, 과일 향, 곡물 향 정도로 얘기되지만 복합 미와는 거리가 있다. 2018년 한국가양주연구소 전통주 소믈리에 과정을 돌아보면 유독 향 측면에서 어려웠던 이유가, 알지 못하는 (경험하지 않은) 향은 표현을 못하고, 그나마 어렴풋이 아는 향도 설명에 애를 먹은 것이다. 와인, 커피 이런 분야는 이미 상당한 발전을 이뤘는데, 이들은 전용 플레이버 휠과 아로마 키트가 있다.

다행스럽게도 전통주 플레이버 휠이 농촌진흥청에 의해 2019년 개발되었다. '우리 전통주의 맛과 향을 한국인이 쉽게 연상할 수 있는 단어로 표현'했다는 소개의 말

처럼, 갓 지은 밥, 쑥, 간장, 메주, 지푸라기, 탄내 등 우리 일상에 녹아 든 쉬운 말로 구성되어 다행이며 매우 기뻤다. (전통주 아로마 키트도 기대해 본다.)

향의 과학

하지만 한글이 아무리 좋아도 영어를 알아야 하듯, 보편적으로 통하는 향에 대해선 공부가 필요하다. 세계에서 가장 오래된 프랑스 향수 회사 겔랑의 최고 조향사 티에리 바세 인터뷰를 우연히 본 적 있는데 뛰어난 후각이 아니라 '뛰어난 머리와 체력'이 필요하다는 점에서 인상적이었다.

"뛰어난 후각이 아니라면 조향사에게 가장 필요한 것은 뭘까요" "뛰어난 머리와 체력입니다. 현재 조향에 쓰이는 기본 향은 3000가지 정도 됩니다. 조향사는 이를 모두 알아야 합니다. 그냥 아는 정도가 아니라 언제 어디서고 일일이 그 향을 구별하고 기억해 낼 수 있어야 합니다. 그래야 어떤 향을 어떤 순서로 섞어야 머릿속에 그린 향기가 나올지 해답을 얻을 수 있죠. 물론 저는 그렇게 할 수 있습니다. 어쨌든 그러려면 머리가 좋아야 합니다. 결국 훌륭한 조향사는 제조 과정에 쓰일 향을 결정하는 등 과정을 잘 통제하면서 상상 속에 그린 추상적인 향을 현실로 구체화해 내는 작업을 잘하는 사람입니다. 창의력이 있어야죠."[23]

서점을 둘러보면 의외로 향에 대한 책이 많지 않다. 향이 다른 부분보다 연구가 늦은 것도 있고 향을 잡아두기 어려운 것처럼 책에 가둬 두기 어려운 부분도 있지 않나 싶다. 그러던 차에 히라야마 노리야키가 쓴 <향의 과학>을 읽었는데 매우 도움이 되었다.

특히 일상적으로 얘기하는 플로랄(floral), 프루티(fruity), 허니(honey), 시트러스(citrus), 우디(woody), 어씨(earthy) 등 향 표현을 정리해 놓은 게 도움이 되었고 종종 들춰보며 꼭 그것처럼 표현하려고 노력 중이다. (자세한 향 표현 목록은 아래 '참고하기: 나름대로 정리해 본 향 표현법' 참고)

이제 본격적으로 우리 술에 향을 내는(입히는) 방법을 알아보자.

화향입주법과 주중지약법

우리술에 향을 입히는 방법에 대한 힌트는 송화주 빚는 방법에 대한 박록담 소장님 글에서 얻을 수 있다. 두 가지 포인트가 있는데, '송화를 망사 주머니에 담아 채주 전 3일간 매달아 둔다'와 '송화를 잘게 썰어서 비단주머니에 담고 채주 3일 전 중앙 부분을 파고 박아 넣어 둔다'가 그것이다.

화향입주법 @네이버 지식백과 캡처

여기서 매달아 두는 법을 화향입주법(花香入酒法)이라 하고, 박아 넣어 두는 법을 주중지약법(酒中漬藥法)이라 부른다. 눈치가 빠른 분은 아시겠지만 이 방법의 핵심은 '채주 전 3일'에 있다. 너무 일찍 혹은 너무 오랫동안 두면 향이 강해 아니한 만 못하게 된다.

같은 글에 실린 박 소장님 코멘트가 재치 있는데, '남의 힘을 빌려 목적하는 바를 달성하는 "얌체 같다"는 생각과 함께, "술 빚는 방법도 참 쉽다." 하는 생각이 든다'하시니 재미있다.

다양한 부 재료 조합

|

C막걸리라는 독특한 이름에 무려 강남에 양조장을 차려 많은 사람을 놀라게 했던 최영은 대표님 말씀에서, 다양한 부 재료를 이용한 맛과 향을 입히는 방법을 엿봤다. 최 대표님은 집에서 술을 빚을 때부터 100가지 정도 부 재료 실험을 해 봤다는데, 앞서 말한 티에리 바세의 기본 향이 3000 가지이고 모두 알아야 한다는 말과 일맥상통해 보인다. 아마도 부 재료의 특성을 잘 알고 있기에 이런 일이 가능할 것이다.

C막걸리가 선보이는 다양한 막걸리들 @C막걸리 홈페이지 캡쳐

"최근에 개인이 요청한 술이 있는데, 나무 향과 흙 향, 식전주로 사용되는 과실 향과 산미를 요청했죠. 그래서 머릿속에 있던 술들을 꺼내어, 배, 도라지, 홍차를 이용해서 만들었습니다. 과거에 만들었던 맛의 기억이 있기에 쉽게 조합할 수 있었습니다."[24]

최낙언 님의 <향의 언어>라는 책에 보면, 향은 매우 어렵다고 하면서 '향이 여전히 어려운 이유'를 무려 60 페이지에 걸쳐 설명하고 있는데, 여러 이유가 있지만 향(부 재료)을 섞는다고 그 특성이 그대로 유지되지 않는 게 가장 큰 요인이라 한다. 다시 말해 라벤더와 레몬그라스를 반씩 섞는다고 부드러운 꽃 향기와 상큼한 레몬 향이 조화로운 중간 향이 나오는 건 아니라는 말이다. (그런 측면에서 C막걸리가 더 대단해 보인다.)

C막걸리처럼 상업 양조가 아닌, 가양주 세계에선 보통 어떤 부 재료가 향을 내기 위해 사용될까? 이에 대한 힌트는 2020년 가양주 주인선발대회 입상 작 분석을 통해 얻을 수 있다. 20년도는 가향 약주와 순곡 약주로 나눠 대회가 진행되었는데, 가향 약주 입상 작들은 홉, 목련 꽃, 귤피(귤 껍질), 솔잎, 송순, 연잎, 황칠나무, 해당화, 장미, 오미자, 가평 잣, 귤, 사과 등을 이용해, 내가 생각한 스펙트럼을 한 참 넘겨 정말 대단하다는 생각이 들었다. (참고로 난 홉을 넣었고, 본선 진출에 실패했다.)

훈연

스코틀랜드에서 생산된 위스키를 스카치위스키라 부르는데, 스카치위스키의 가장 큰 특징이 바로 훈제 향이다. 훈제 향은 몰트를 건조할 때 사용되는 피트(peat, 이탄)에 의해 생기는데, 피트는 사실 석탄이 없어 고민하던 증류업자들이 주변에서 우연히 발견한 대체 연료였다고 한다.

피트 연기로 맥아를 건조하면 스모키 함과 더불어 강렬한 풍미가 생기고 이런 부분이 몰트 위스키의 정체성으로 이어졌다. 우리 술에는 직접 불을 맞대는 부분이 없어 연기로는 안 되겠지만, 고두밥 지을 때나 증류할 때 물이나 알코올이 끓으면서 발생하는 증기로 향을 입힐 수 있고 고두밥에 약재 등 부 재료를 넣는 방식은 이미 널리 사용되고 있다.

드라이 호핑

|

맥주 역사를 따라가다 보면 홉을 빼놓고 얘기할 게 많지 않다. 홉은 천연 방부제

역할로 시작되었지만, 맥아의 단맛과 균형을 이루는 특유의 쓴맛으로 많이 마셔도 물리지 않게 해 주고, 이만큼의 다양한 맥주 세계를 여는 단초다.

홉에 대해서 관심을 갖게 된 건, 발효가 끝난 뒤 티 백과 비슷하게 맥주에 담그는 방법, 즉 드라이 호핑 때문이다. 톡톡 튀는 개성 있는 우리술을 만드는 구름아양조장의 '만남의 광장' 막걸리에서 비슷한 걸 찾을 수 있었다.

"후발 주자니까, 뭔가 차별화를 시도해야 하는 입장이었다. 쌀 자체로 차별화는 어렵다고 보고, 남들 안 넣는 부 재료를 넣어보자고 생각했다. 삼양주인 만남의 광장 경우, 세 번째 발효 때 후추와 생강을 넣었다. 수제 맥주의 드라이 호핑과 유사한 방법을 쓴 것이다."[25] 생강은 그렇다 치고 후추를 넣다니. 양유미 팀장님을 비롯한 젊은 양조인들의 아이디어에 감탄이 났다.

비슷한 방식을 쓴 곳으로 DOK 브루어리를 들 수 있다. DOK 브루어리는 막걸리에 석류 즙, 홍차, 레몬, 라임, 몰트, 커피 등 부 재료의 끝이 없는 곳이다. 아마도 이런 부분은 대표인 이민규 님이 세계적으로 유명한 수제맥주회사에서 일한 경험이 뒷받침된 걸로 보인다. 그러다 보니 드라이 호핑이 낯설지 않았을 것 같다.

이대표님 말씀을 직접 들어보자.

"전통주의 경우 부 재료를 덧술 때 함께 넣어 발효시키기 때문에 부 재료가 가진 향과 맛이 발효 과정에서 휘발되는 경우가 많다. 드라이 호핑 하듯 발효가 끝난 술에 꽃이나 과일즙 같은 부 재료를 넣어 냉침하면 그 특성이 술에 더 진하게 남는다는 점을 터득한 것이다."[26]

향에 대해선 더 배워야 할 게 많지만 머리보단 손이 앞서야 한다. 다양한 실험을 통해 교훈을 얻고 가야 할 선택지를 좁히기로 했다.

★실험1: 식용 에센셜 오일을 술에 넣으면?

향을 입힌다고 하는데 아예 향을 넣으면 어떻게 될까?

개인적으로 우디(woody) 향을 좋아하는데 화학 합성을 통해 얻기도 하지만, 시더우드, 샌달우드, 가이악우드 등은 직접 나무를 가열하여 증류하는 방식으로 얻는다. 아쉽게도 식용은 없고 대신 상큼한 레몬 향을 풍긴다는 도테라사의 레몬그라스 에센셜 오일을 샀다. (먹을 수 있는지 재차 확인 필요!)

부푼 기대를 안고 내 술에 정말 조금만 넣은 후 잘 섞어 한 잔 마셨는데…… 몸속 깊숙한(?) 곳에서 올라오는 강력한 레몬 향에 하마터면 구토를 할 뻔했다. (향은 하루 내내 지속되었고 숨 쉴 때마다 올라왔다.)

에센셜이니 정말 최소 양을 사용했어야 하는 것도 있겠고, 오일 타입이라 술에 좀 더 잘 녹여야 하는 것도 있지만, 향을 마신다 라는 개념이 향을 맡는다 라는 것과 완전히 다른 것임을 깨닫는 값비싼 경험이었다. 그날 블로그엔 당시 느낌을 이렇게 적고 있다.

'신선하지만 매우 위험한 시도!'

아쉽지만 다시 시도해 볼 일은 없을 듯하다.

<자기 누룩 없으면 양조장도 만들지 마라>

★실험2: 스카치위스키처럼 훈연을 하면?

향을 입히는 여러 시도 중 눈길을 끈 게 훈연이다. 우리 술에도 훈연과 비슷한 방법이 있을까? 류인수 소장님 말씀으로는 고두밥 찔 때 부 재료를 밥 안에 넣거나 솥 아래 물에 넣으면 향이 배 인다고 한다.

좀 더 생각해 보면 쌀을 볶아서 사용해도 같은 효과를 낼 것 같다. 오 좋은 아이디어인데…… 라고 생각만 하던 차에, 불현듯 이대앞양조장의 '눈 내린 여름밤'이란 탁주가 출시되었다.

멥쌀과 로스팅 한 찹쌀을 섞어 세 번 빚어냈다는데, 누룽지의 고소함, 커피의 쌉싸래함, 견과류의 고소함, 발효 과정에서 생긴 산미가 복합적으로 느껴진다고. 그들의 실험 정신과 열정과 결정적으로 굿 타이밍에 감탄이 나왔다.

(우연의 일치일까? 21년 4월 설립된 스타트업 소규모 증류소 BREEZE & STREAM (풍류, 風流)의 첫 제품이 한국 최초의 '볶은' 보리 소주다.) 실제 고두밥 찌는 물에 티 백을 넣어 향을 입히는 실험을 해 봤다. 발효과정에서 많이 날아가긴 했었도 일부 향이 끝까지 남아있어 놀랐던 기억이 난다. 본격적으로 적용해 볼 만 하지만 발효 중 날아간 향은 여전히 아쉽다.

★실험3: 침출주와 블렌딩 하면?

위에 잠시 언급했지만, 향은 여과 후나 병입 전에 더해 야지 초기에 넣으면 이산화탄소 발생으로 다 날아가 버린다. 향을 잡아둘 수 있는 가장 강력한 방법은 알코올에 녹이는 것이다. 고 도수 증류주에 고형 분 재료를 넣어두면 삼투압 작용으로 색과 맛과 향이 녹아 들어 배인다. 만약 색을 원치 않으면 한번 더 증류하면 잡 내와 잡맛까지 줄어든 더 좋은 투명한 침출주를 얻을 수 있다. 이렇게 만든 침출주를 발효주와 섞어 원하는 맛과 향을 조율하면 되는데, 주정 강화 와인으로 유명한 스페인 셰리 와인과 같은 방식이다.

여러 가지 재료로 실험을 해봤다. 홉(미국산), 솔잎, 연잎, 감국, 허브, 생강, 석창포, 오크 칩, 오설록 티 백 4종. 방법은 간단하다. 미리 만들어둔 증류주(소주)를 나눠 서로 다른 재료를 넣어 침출 시킨 후, 약 20도 정도로 발효주와 섞어 관능 평가를 겸한 시음회를 여는 것이다. (두 가지 술을 혼합하여 원하는 도수로 만드는 방법은 <전통주 교과서> 술 공식 모음 참고)

1번에서 10번까지 다양한 침출 주 실험

다양한 의견을 종합해 본 결과는 다음과 같다.

첫째, 향을 더하는 재료로 가장 효과적인 건 허브다. 주변에 이미 많은 허브가 있고 익숙해서인지 허브 침출주와 블렌딩 한 술이 가장 평가가 좋았다. 고급 지다는 평이 많았는데 역시 허브 향에 대한 사람들 인식이 반영된 것으로 생각되었다.

둘째, 향을 더하는 재료로 가장 편한 건 티 백이다. 오설록 티 백을 몇 종 이용했는데, 이미 다양한 형태로 블렌딩 되어 있는 데다 그냥 넣기만 하면 돼서 사용하기에 제일 편했다. 다만, 향의 특성상 여러 재료가 블렌딩 되어 있어도 발현되는 건 차이가 있어 생각한 대로 나타나지 않는 건 아쉬웠다.

셋째, 향을 더하는 재료로 홉은 꽤 괜찮은 재료 지만 팰렛 형태로 사용하는 건 불법이다. 왜 불법인지 아직도 의아 하지만 자연 상태 홉을 구하기 어렵기 때문에 아쉽지만 앞으로 사용이 어려울 것 같다.

넷째, 우리 술에 많이 쓰이는 솔잎, 연잎, 감국, 생강, 석창포는 조금만 양이 많으면 향이 너무 강하거나 쓴맛이 났다. 지나친 것보다는 모자란 게 낫다. 적절한 침출 재료 양이라는 숙제를 남겼다.

다섯째, 오크 향은 양주(위스키)를 연상시켜 거부감이 적었다. 익숙한 향이 좋은 이미지로 연결되는 것 같다. 참고로, 난 오크 칩을 이용했는데 프렌치와 아메리칸 두 종류가 있고 프렌치 오크 칩은 부드럽고 완만한 오크 향과 바닐라 향을 내고, 아메리칸은 타닌이 많아 향신료나 단맛을 배게 한다고 되어 있으니 참고할 것.

여섯째, 향은 아니지만 종합적인 풍미 관점에서 쓴맛은 공통적인 지적사항이다. 높은 도수가 좋다는 사람도 있고 부담스럽다는 사람도 있다. 침출에 사용되는 소주

<자기 누룩 없으면 양조장도 만들지 마라>

는 충분히 숙성 되어야 하고, 도수는 낮아지겠지만 섞는 양을 줄일 필요가 있을 듯하다. 아니면 단맛이나 신맛을 높여 쓴맛을 가리는 것도 한 가지 방법일 것 같다.

★실험4: 드라이 호핑을 이용하면?

침출주를 블렌딩 하여 원하는 색, 맛, 향을 더하는 방식은 이미 셰리와인에서 증명 되었듯 매우 매력적인 방법이다. 다만 적절한 품질의 증류주가 필요하고, 높아지는 도수를 감내할 만한 목적과 이유가 있어야 해서 보편적으로 보기 어렵다. 따라서 발효주에 향을 더하는 다른 방법이 필요한데 그게 전에 소개했던 드라이 호핑이다.

맨 처음에는 '만남의 광장'에 쓰였던 것처럼 나도 다 된 술에 후추를 넣어 봤다.

5알 정도 통후추를 넣고 기다렸다 마셔보니 코로 후추 향이 미세하게 올라오는 게 나쁘지 않았다. 그보다는 입안이 아린 매운 촉감이 느껴졌는데 독특한 경험이라 향후 응용해 볼만하다 싶었다.

침출주 블렌딩에서도 얘기했지만 허브 류가 가향 측면에서 제일이지만 편의상으로는 티 백이 좋았다. 그러던 차 재미있는 와디즈 펀딩을 봤는데, 국순당 고구마증류주 려와 지리산 하동 쌍계명차 콜라보가 그것이다. '예상과는 달리, 은은한 차의 향은 오히려 려의 맛과 향을 더 돋보이게 해 주었고, 려의 맛과 향으로 차의 향긋함 과 달콤함은 더욱 강조되어 완벽한 밸런스를 갖춰'다는 소개

문구는 비록 맛 보진 못했지만 그간의 경험으로 충분히 머릿속에 그려졌다.

쌍계명차는 잘 모르지만, 이따금 마시는 오설록은 친근했다. 일단 손에 잡히는 데로 특징을 살펴봤다. 제일 먼저 본 게, '벚꽃향 가득한 올레, 레몬머틀'이다. '제주 왕벚꽃향의 화사함과 달콤 새콤한 과실향과 어우러진 블렌디드 티'라는 부제를 달고 있는 이 차는 제주산 홍차와 장미 열매, 파인애플 설탕, 히비스커스 등이 포함되어 있으며, 결정적으로 황벚꽃향혼합제가 6.5% 들어있다. 혹시 마셔봤는지 모르겠지만, 엄청 신기했던 게 꽃 향, 체리 향이 정말 강렬하게 나는데 그 맛이 1도 없다. 오로지 향을 위한 차인 것이다. (후기를 보니 약간의 산미와 단맛이 있다는데, 물을 많이 타서 내가 못 느꼈을 수 있다. 착오 없기를)

내친김에 '신부의 부케처럼 화사하고 달콤한 플로랑 티'로 소개되고 있는 '스윗부케향 티'도 열어 봤다. 녹차 94.9%에 스윗부케향혼합제제가 5% 들어있는데, 가까이 사진을 찍어 보니 녹차 사이로 펠렛이 보인다.

스윗부케향 티(왼쪽), 소개 문구(중간), 접사 사진(오른쪽)

향을 목적으로 만들어진 만큼 가향에는 역시 제격이다는 생각이 들었다. 문제는 어떻게 우려내어 언제 블렌딩 하는가 인데, 좀 더 알아보니 냉침(차가운 물에 우려내기)이 좋을 것 같았다. 단, 너무 오래 두면 써지며 녹차 특유의 텁텁함 도 따라오니 하루 이내에 티 백은 빼내고, 아주 약간만 가수 하는 형태로 섞은 후 병입했다. 티 백 드라이 호핑 관련해 그간의 내 블로그에는 시음 관련 글이 여럿 적혀 있는데 그중 몇 개만 추리면 다음과 같다.

"확실히 페퍼민트 향이 올라옴. 다소 강해서 밸런스가 틀어진다는 느낌, 매력적이긴 하다!"
"아주 연한 단 향, 달고 고소한 맛과 향이 꽉 참, 맨 끝에 약한 쓴맛, 단 게 쓴맛을 줄이는 듯"
"며칠 후 마셔보니 티 백 향이 다소 강해진 듯, 좀 줄이는 게 좋겠다."

향에 대해 말할 때 얘기했었는데, 향을 섞었을 때 결과 예측이 쉽지 않았다. 다시 말해, 기존 술의 향과 티 백 향이 섞였을 때 반씩 또는 조금씩 나는 게 아니라, 어떤 향은 완전히 사라지는 게 있고, 어떤 향은 더 두드러지는 향이 있다. 경험적으로 볼 때, 시트러스 한 향들이 많이 살아남는 것 같다.

마지막으로, 위와 같은 방식으로 술을 만들면 허가가 날까? 아무래도 내가 잘 모르는 분야다 보니 국순당 박선영 본부장님께 여쭤봤고, 고맙게도 바로 회신을 주셨다.

"부 원료가 술에 직/간접적으로 영향(술에 맛이 스며드는지)을 주면 술의 원료로 간주해야 합니다. 말씀하신 방법도 가능하고 이 경우, 티 백 제품명과 대표원료명을 기재해야 하고 제품명에 티 백 제품명이 들어간다면 대표원료명에 함량을 기재해서야 합니다. 저는 가능하다고 판단됩니다."

그럼 내 술은?

|

전통적인 방법으로는 화향입주법이나 주중지약법이 있고, 다양한 부 재료로 맛과 향을 내는게 최근 대세지만 여러 실험을 통해 볼 때 드라이 호핑이나 침출주 블렌딩이 나한테 제일 맞아 보인다. 그런 측면에서 원하는 향을 얼마든지 낼 수 있다는 생각이 들지만, 엉뚱하게도, 드러날 정도의 향미가 있는 술이 과연 좋은 술인가 라는 이상한 반문이 내 안에 있다.

주변을 둘러보면 저마다 인위적인 강한 향들이 우리를 둘러싸고 있기 때문이기도 하고 이런 부분은 자연스레 본연의 재료에서 나오는 향과 인위로 추가된 것 사이 괴리를 느끼게 한다. 결국 이 문제는 향을 입히는 방법이라는 관점이 아니라 우리술을 빚는 과정에서 자연스레 우러나는 향을 해치지 않으면서 다양한 향을 얼마나 조화롭게 (나는 듯 아닌 듯) 녹여내는가 문제로 보인다. 좀 더 많은 고민과 실험이 필요해 보인다.

나름대로 정리해 본 향 표현법

일단 단 향이 나면, **sweet**(스위트), **honey**(허니), **floral**(플로랄), **aromatic**(아로마틱), **fruity**(푸르티), **anise**(아니스) 중 하나로 보고 접근한다.

1) 보통의 달달한 향, 설탕을 열로 분해할 때 나오는 단 향이나 바닐라 향이 나면 sweet(스위트)
2) 벌꿀처럼 농밀한 단 향, 양봉 벌꿀의 향이 나면 honey(허니)
3) 수많은 꽃의 단 향, 장미나 재스민 등 꽃 향이 나면 floral(플로랄)
4) 허브 류의 단 향, 코리앤더, 바질 그리고 펜넬 등 허브 계의 단 향이 나면 aromatic(아로마틱)
5) 잘 익은 과일의 단 향, 사과, 바나나, 포도, 멜론, 배, 파인애플 등 과일 향이 나면 fruity(푸르티)
6) 한약방 같은 냄새를 지닌 단 향, 중화요리에서 팔각이나 분말상태 위장 생약의 향이 나면 anise(아니스)

단 향이지만 중후한 느낌을 주는 **balsamic**(발사믹), 그리고 **amber**(앰버)가 있다.

1) 나무 수액이 굳어져 만들어진 수지, 달고 따뜻함, 성당에서 나는 냄새로 balsamic(발사믹)
2) 호박의 향, 단맛이 나는 수지, 기분을 안정시키는 따뜻함을 지닌 중후한 향이 나면 amber(앰버)

나무, 숲 등 자연의 향이 나면, **green**(그린), **woody**(우디), **mossy**(모시), **earthy**(어씨) 중 하나다.

1) 녹색 풀과 잎을 연상시키는 풋풋하고 투명한 향, 잎 향이 나면 green(그린)
2) 나무나 숲 향, 잘라낸 목재 냄새, 편백과 삼나무 등 단내와 따뜻함이 있는 목조 향이 나면 woody(우디)
3) 깊은 숲 속 나무 표면에 생긴 이끼 향, 바닥에 있는 이끼 냄새로 촉촉하고 차분

한 향이 나면 mossy(모시)
4) 흙 냄새, 깊고 차분한 향이 나면 earthy(어씨)

자주 쓰고 이름만 들어도 아는 향. citrus(시트러스), minty(민티), herbal(허벌), spicy(스파이시).

1) 감귤류의 특징적인 상큼한 향, 레몬, 오렌지, 자몽, 귤, 라임 등 향이 나면 citrus(시트러스)
2) 민트(박하) 향, 스피어민트와 민트 향이 들어있는 과자 향이 나면 minty(민티)
3) 허브 같은 향, 허브 전체를 일컫는 향, 라벤더와 로즈 메리로 대표되는 향이 나면 herbal(허벌)
4) 향신료처럼 자극적인 향, 생강, 커민, 홍 고추 등 향이 나면 spicy(스파이시)

자주 쓰진 않지만 금방 알 수 있는 향이 있다. marine(마린)과 leather(레더).

1) 바다나 바닷가를 연상시키는 약간은 비릿하고 금속 적인 향, 대표적인 해조류 향이 나면 marine(마린)
2) 가죽 냄새로, 담배 냄새도 연상되는 동물적인 냄새, 가죽제품의 향, 새 가죽 냄새가 나면 leather(레더)

단어만 봐서는 뭐가 뭔지 잘 모르겠는 향들을 묶어 봤다. Musky(머스키), animalic(애니말릭), powdery(파우더리), aldehyde(알데히드).

1) Musky(머스키): 동물적인 분위기의 따뜻함과 무게 감이 있는 어른스러운 향, 샤넬 넘버 5
2) Animalic(애니말릭): 농도가 깊은 악취 지만, 희석하면 꽃처럼 달고 따뜻함이 감도는 향
3) Powdery(파우더리): 흰색 파우더나 건조된 가루 같은 느낌의 가벼운 단 향, 파우더리함을 지닌 꽃 향
4) Aldehyde(알데히드): 그리 취하지 않은 사람에서 느껴지는 약간 달고 fruity하면서 기름진 느낌

경험적으로 향만큼 공부가 필요한 분야도 없는 것 같다. 보통 우리 코는 불필요한 피로를 줄이기 위해 익숙한 향은 금새 인지 과정에 차단한다. 다시 말해 지금 이 글을 읽는 여러분 주위에 수 많은 향이 있지만 아마 대부분 느끼지 못 할 것이다. 따라서 향을 캐치하는 능력이 매우 중요하다. 열린 마음으로 새로운 향을 기대하고 언

뜻 스쳐가는 향이 어떤 향일까 생각해 보자. 그리고 그 향이 내 것이 되려면 이름을 줘야 한다. 위에 적힌 이름일 수도 있고 아니면 내가 잘 아는 익숙한 어떤 기억을 붙여줘도 좋다. 그렇게 조금씩 향이 풍부해 진다.

설화오양주 한 잔 하시죠

책 머리에 우리술에 익숙하지 않은 분들을 위해 석탄주를 같이 빚어 봤다. 널리 알려진 레시피에 기성 누룩을 사용한 석탄주는 달콤한 향과 새콤한 맛으로 나쁘지 않았지만 어쩐지 책 마지막은 나만의 누룩을 사용한 설화오양주로 마무리하는게 맞을 것 같다.

설화오양주 빚는 과정을 세밀하게 얘기하면 한도 끝도 없을 테니 평소 블로그에 적는 것처럼 풀어보고자 한다. (작업 일지처럼 적어 보기.)

제목: 설화곡 #23-4 설화오양주 빚기

(#23-4는 23년도 네 번째 만든 설화곡이라는 의미)

	쌀	물	누룩	밀가루	가공방법	비고
주모		2.0	1.3		1.5배 물	설화곡
밑술	0.5	1.0	주모	0.2	범벅	주모 투입
덧술1	1.0	2.0			범벅	
덧술2	1.0	2.0	0.7		범벅	설화곡 추가
덧술3	2.0				찹쌀고두밥	고두밥 나눠넣기
덧술4	2.0	2.0			멥쌀고두밥	덧술3 거른 후
합계	6.5	7.0	2.0	0.2		
비율	1.0	1.1	30%	3%		

레시피: 한 번에 고두밥을 2kg씩 짓는 기준

3/12 일요일, 주모 시작

- 　　　설화곡 1.3kg에 물 1.5배인 2L 넣기
- 　　　아침 저녁으로 힘차게 저어준다

3/15 3일째, 잘 끓고 있음

3/17 5일째, 끓는 게 잦아들고 위에 노란 물이 뜸

3/18 6일째, 밑술

- 멥쌀가루 500g에 끓는 물 1L 부어 범벅 만들기
- 완전히 식으면 주모에 넣고 잘 풀어 줌
- 박력분 밀가루 200g 추가 투입

3/19 밑술 1일째, 출근 전 열어보니 매우 잘 끓고 있음

- 3일 후 3/21 첫번째 덧술 할 예정

3/21 덧술1 진행

- 멥쌀가루 1kg에 끓는 물 2L 부어 범벅 만들기
- 완전히 식으면 밑술에 넣고 잘 풀어 줌
- 3일 후 3/24 두번째 덧술 할 예정

3/24 덧술2 진행

- 멥쌀가루 1kg에 끓는 물 2L 부어 범벅 만들기
- 완전히 식으면 밑술에 넣고 잘 풀어 줌
- 이 때 설화곡 700g 추가 투입 (당화용)
- 그리고 이어서 찹쌀 2kg을 씻어 물에 담가 둠 (산장 시작)
- 3일 후 3/27 세번째 덧술 할 예정

3/27 덧술3 진행

- 3일 간 산장해 둔 찹쌀로 고두밥을 지음
- 한 김 난 후 물 뺀 찹쌀 올리고 50분 찜
- 선풍기로 빠르게 완전히 식힌 후 식깡에 넣음
- 찹쌀고두밥이 있는 식깡에 밑술 붓고 고두밥을 잘 풀어 줌
- 7일 후 4/3 네번째 덧술 할 예정

4/2 덧술4에 사용할 찹쌀 고두밥을 하루 전 미리 만듦

- 멥쌀 2kg을 잘 씻어 물 뺀 후 고두밥을 지음
- 한 김 난 후 1시간 찌고, 찬 물 뿌린 후 20분 더 찜
- 멥쌀고두밥이 쪄지는 동안 물 2L를 펄펄 끓임
- 식깡에 고두밥을 넣고 바로 끓는 물을 넣은 후 닫음 (탕혼)
- 하루 이상 완전히 식을 때까지 그대로 둠

4/3 덧술4 진행

- 식깡을 열고 덧술3을 짜 줌
- 어제 만들어둔 멥쌀 고두밥이 완전히 식었는지 확인함
- 식은 게 확인되면 짜 낸 술을 부은 후 잘 풀어 줌
- 3주 후 4/24 열어 상태를 보고 채주 결정 예정

4/24 3주 만에 열어보니 쌀알이 많이 가라앉아 있어 채주 함

-         짜낸 술은 냉장고에 저온 숙성 및 여과 시작

5/1 채주 일주일 후 시음

-         가수하여 더 두거나, 맑은 술을 따로 떠 냄
-         추가로 향을 입히고 싶으면 선호하는 허브류를 냉침하여 가수하여 사용

오양주라 단계가 많고 기간이 긴 것 말고는 제조 방법이 범벅과 고두밥 밖에 없어 오히려 간단하다. 대신에 단계 별 재료나 방법을 달리 적용할 여지가 많아 융통성이 많은 편이니, 오히려 단을 높여 술을 빚는게 나을 수도 있다는 생각이 든다.

▶ 우리술대회 출전기 ⑤

한국가양주연구소 궁중술 빚기대회, 2022년(누룩술)

세 번째 해인 2022년 궁중술 빚기 대회 주제는 누룩술이다. 게다가 사용한 누룩을 제출해야 한다. 타이밍이 절묘 하단 생각이 들었다. 왜냐하면 22년도는 내내 나한테 맞는 설화곡을 찾는데 주력한 한 해였고, 20번이 넘는 다양한 설화곡을 빚어본 시기였다. 마음에 딱 드는 나만의 누룩은 여전히 못 찾고 있었지만 내가 만든 누룩은 넘쳐났다. 이런 시기에 누룩술이라니 마치 내 사정을 알고 낸 주제처럼 느껴졌다.

누룩술 대회 입상 누룩들 (맨 윗줄 중간 게 내 것이다)

실험에 사용된 많은 설화곡은 이런저런 이유로 사용이 어려워 결국 맨 마지막에 만든 31번째 설화곡이 이용됐다. 이미 손에 익은 오양주 법으로 만들었고 지난해 교훈대로 특별히 맛을 조정하거나 가수 하지 않았다. 다행히 본선 진출자로 선정되어 방배동으로 향하는 지하철 안에서, 장려상 정도만 받으면 다행이다 라는 생각이 문득 들었다. 내가 내 실력을 알기 때문이다.

연구소에 도착하니 본석 진출한 18개의 맑은술과 누룩이 전시되어 있었다.

하나씩 차근히 맛을 보고 누룩도 꼼꼼히 살펴봤다. 기성 누룩을 사용한 것도 있었지만 많은 술이 직접 만든 누룩이 사용되었고 특히, 쌀누룩이 6개나 있어 인상 깊었다. 술 맛과 향은 고르게 좋았는데 완전히 이 술이다 라고 짚을 만한 건 3개 정도여서 나도 입상 가능성이 있겠구나 하는 생각이 문득 들었다.

재미있던 게, 때마침 내 술을 시음하던 어떤 여자분이 같이 온 남자에게 "오빠, 이 술 무슨 냄새 나는 것 같지 않아?"라고 물어보는 걸 보게 되었는데 (물론 그분은 그 술을 내가 만든 지 모른다.) 한 두 번 더 음미하더니 "파인애플향이 나잖아!"라는 말을 들었다. 애써 티 내지 않았지만 내심 '아주 많이 매우' 기뻤다.

은상까지 내 이름이 호명되지 않았을 때 아 이번에도 안되는구나 싶었나. 그런데 무려 금상에서 내 이름이 불리었을 때 그동안 노력들이 주마등처럼 지나갔다. 나한테도 이런 날이 오는구나, 아니 결국 왔구나 하는 생각에 이 모든 것들에 감사하는 마음이 들었다. 지쳐 쓰러질 즈음에 누군가 달고 찬 물 한잔을 건넨 것이다.

(뜬금없지만 ㅋ) 만화 벤허 중 한 장면 @클향 게시판 캡쳐

나중에 심사결과를 요청해 받았다. 전 해와 다르게 부문 별 상세 심사 결과는 없었지만 심사위원 평가가 구체적이고 표현이 잘 되어 있어 좋았다.

심사위원 평가
심사위원 1 : 탁도가 약하게 있음 / 단향과 함께 곡물향, 참외향이 있음 / 단맛이 가볍게 있으며 신맛이 약하고 후미에 바닐라향이 있고 목넘김이 가벼워 균형감이 있는 술이다.
심사위원 2 : 누룩 발효 정도나 법제 상태가 아주 좋습니다. 술의 색상, 맛, 향 전체적으로 우수합니다. 후미가 조금 약한데 이것만 보완하면 좋을 것 같습니다.
심사위원 3 : 숙성향이 있어 느끼한 맛이 약간 있고, 묵직한 바디감이 있으며 새콤하면서 쌉싸름하나, 살짝 느끼한 맛이 끌림
심사위원 4 : 깔끔한 단맛이 매력적이며, 향이 우수함 / 술의 뒷맛이 쓴 것은 술을 거르는 시기를 늦추거나 숙성이 더 길어야 함

2022년 궁중술 빚기대회 심사결과 중 심사위원 평가 부분

참외 향은 정형적인 설화곡 향이고 보통 내 술에 산미가 거의 없는데, 첫 번째 고두밥을 산장하여 쓴 덕분에 밸런스에서도 좋은 평가를 받은 듯하다. 끝 맛이 쓰다는 지적이 있는데, 나도 계속 신경 쓰이는 부분으로 숙성으로 개선이 가능하리라 생각된다.

대회 출전기를 마무리하며

|

내가 만든 술이 어느 정도 수준 일까로 시작한 우리술 대회 출품이 횟수로 12회, 년 수로 5년째 이른다. 가볍게 시작했던 도전이 때론 목적이 되어 힘든 때도 있지만 돌아보면 정말 잘했던 생각이 든다. 앞으로도 '대상을 받아 자격이 정지되지 않는 한' 계속해 볼 계획이다. 그 이유는 다음과 같다.

술을 빚고 나면 지인들과 나누며 어떤가 물어보곤 하지만, 공짜 술은 항상 좋은 법이라 객관적인 평가를 받기 어렵다. 이런 상황에 공개적이고 공식적인 평가 기회를 갖는다는 건 참가비를 지불하고서라도 의미가 있다. (게다가 대회에 따라 쌀까지 주니 고맙다고 오히려 절을 해야 할 판.) 입선을 하면 하는 대로 못하면 못하는 대로 왜 그런 결과가 나왔을까 고민하는 과정에 내 술이 가진 약점을 파악할 수 있고 결정적으로 대중의 취향을 알 수 있다.

다양한 출품 경험은 좋은 술이란 어떤 술인가 하는 의문으로 이어지고 다양한 레

<자기 누룩 없으면 양조장도 만들지 마라>

시피를 설계하도록 도와준다. 하루 이틀 만에 뚝딱 빚어지는 게 아니니 최소 분기 단위로 술을 계획해야 하고 내내 긴장감이 유지된다. 이런 부분이 술 빚기 실력을 끌어올리는 원동력이다. 거기다 입상이라도 하면 크지 않지만 상금이 나와 기쁘고, 무엇보다 우리술 빚기 커리어 관리에 엄청 큰 힘이 된다. 가까이 둘러봐도 장희도가, 금계당, 양주골이가전통주, J&J브루어리, 병영양조, 같이양조장, 술아원, 술샘, 내올담 등 쟁쟁한 양조장 대표님들이 모두 우리술대회를 통해 연을 맺었다고 해도 과언이 아니다.

　따라서 앞으로도 계속 우리술 대회에 도전할 생각이다. 그리고 도전을 생각 중인 많은 아마추어 부루어들에게 부디 내 경험이 도움이 되길 바란다.

앞으로 어떤 일이 일어날까?

더 다양한 더 많은 실험

나만의 누룩 편에서 다양한 설화곡 제조 관련 실험들을 선 보였지만, 아직 해 볼 만 것들이 많다. 대표적인 게 재료 변화에 따른 설화오양주 제조 공정 변화와 풍미 차이를 보는 것이다. 애초 설화곡 재료로 찹쌀, 흑미 등을 이용해 봤지만 여러 실험으로 혼란한 통에 제대로 정리를 못했다. 주재료를 멥쌀로 고정하더라도 부 재료를 다양하게 구분하여 빚었을 때 실제 술에 어떤 차이를 가져 올지 궁금하다.

설화곡 띄우는 환경에 대해서도 관심이 많다. 지금은 스텐 시루를 이용하고 있는데 옆 면에 종이가 덧대어 있긴 하지만 쌀가루와 맞닿아 습에 취약하다. 박스 등을 추가해 수분 배출을 용이하게 하면 더 나은 결과가 나올지 궁금해 진다. 그리고 건조 시설도 개선을 하고 싶다. 한 번에 많은 양을 쌓아 건조하면 서로 뭉치며 후 발효가 일어나니 가능한 얇게 펼치는게 좋은데, 그러려면 대형 쟁반이 많이 필요하고 위로 쌓아 올리는 구조가 되어야 한다. 건조된 설화곡 가루가 최대한 날리지 않는 건조에 최적화된 전용 장비가 있으면 좋겠다.

설화오양주도 다양한 실험이 필요하다. 지금은 기본 레시피만 있는 상태인데, 우선 대주모법으로 마지막 덧술의 재료 변경, 가공방법 조정, 부 재료 여부, 가향 유무 등으로 다양한 서로 다른 특징의 술이 빚어질 수 있을지 실험해 보고 싶다.

우리술대회 최고상 수상

본문에서 다짐했지만 우리술대회 출전은 계속할 생각이다. 대회 출전은 술 빚기에 긴장감을 부여하고 적극적인 마음과 도전의식을 불러 일으키는 삶의 활력소다. 그래서 가능하다면 모든 대회에서 최고상을 받고 싶다. 그 때쯤 되면 해외로 눈을 돌려서……

나만의 양조장 창업 고민

이 책 제목 '나만의 누룩을 찾아서'의 부제가 '자기 누룩 없으면 양조장도 만들지 마라'다. 내 누룩이 있으니 양조장을 만들 수 있다는 얘기인데, 아닌가 아니라 다음 책으로 '나만의 양조장 창업 이야기'를 구상 중이다. 아직 양조장을 내기에 미흡한 부분이 많이 있지만 내가 양조장을 낸다면 어떤 모습일지 생각해 둔 것들이 많다. 원래는 한 권의 책에 모두 담으려 했는데 누룩 이야기랑 양조장 창업 고민이 서로 어울리지 않는다는 주위 조언을 받아들여 두 개로 나눠 내려 한다.

양조장 창업과 관련된 일반적인 절차나 필요한 것들을 시작으로 내가 만든 술을 누구에게 팔고 싶은지, 더 이상 아파트가 아닌 양조장에서 내 술을 빚는다면 어떻게 빚으면 좋을지, 내 술에 가격을 매긴다면 어느 정도가 적절할지, 마시고 취하기 위한 술이 아니라 돈을 좀 들여서라도 사고 싶은 술을 만든다면 그건 또 어떤 모습이여야 할 지 이런 얘기를 담을 생각이다. 혹시나 이 책을 재미있게 또 유익하게 읽었다면 다음 책도 기대해 주기 바란다.

긴 글의 끝을 낼 때가 되었다. 예전에 봤던 <두번째 명함>이라는 책의 한 구절로 책을 마칠까 한다.

"예전에는 내가 열정을 가지고 할 수 있는 일을 찾아야 한다고 생각했어요. 하지만 지금 생각해보면 열정을 발견한 게 아니라 일을 하면서 열정이 만들어진 것 같아요. 대부분의 사람들은 어떤 일에 통달해서 열정이 샘솟을 때까지 노력을 투입하지 않죠. 열정이라는 신화야 말로 내 친구들이 자기 직업에 만족하지 못하는 가장 큰 이유라고 생각해요."

감사의 글

우리술 과정 졸업식 등 한국가양주연구소 행사에 가면 예외없이 류인수 소장님 고맙습니다, 감사합니다 칭송이 자자한데 그런 낯 뜨거운 말을 내가 하게 될 줄이야. 음······ 각설하고,

류인수 소장님. 이 책은 소장님 도움이 없었다면 세상이 나올 수 없었습니다. 지면을 빌려 머리 숙여 감사 말씀드리고 계속 지도편달 부탁드립니다. (··· 역시 매우 어색하다.)

그 밖에, 국순당 박선영 본부장님, 한영석의 발효연구소 한영석 소장님, 한국술문헌연구소 김재형 소장님께 감사 말씀 전한다. 이 분들은 귀찮을 법도 한 내 이메일에 늘 성심껏 답해 주셨다. 가양주연구소 선배님들인게 자랑스럽다.

마지막으로, 항상 날 응원해준 내 술 첫번째 시음자이자 완소 고객 우여사에게 고마움을 담아 보낸다. 집안에 술내가 진동하고 온갖 도구와 장비로 좁아져도 내색을 안 한다. 언젠가 내가 술로 왕창 돈을 벌어 올걸로 아는 것 같다. (진실은 다음 책에서 ······)

그리고, 내 동생들, 제수씨. 우리술이라는 매개로 늘 의기투합해줘 고마워. 약간 등 떠밀린다는 느낌(?) 있지만, 순간을 즐기자.

2023.06.04

김혁래

<자기 누룩 없으면 양조장도 만들지 마라>

참고 문헌

1 <최낙언의 자료보관서> 발효 효모 Yeast,
http://www.seehint.com/word.asp?no=13899

2 <BTS 진 with 백종원, 취중진담 EP. 1>,
https://www.youtube.com/watch?v=ekrBiWe1qFU

3 <저온발효에 의한 청주의 이화학적 특성 연구> 한국산학기술학회논문지 =
Journal of the Korea Academia-Industrial cooperation Society v.17 no.8, 2016년,
pp.492 - 501, 심유미, 이상현, 정철 (서울벤처대학원대학교 융합산업학과)

4 <술방문> 석탄쥬법, https://www.koreantk.com/ktkp2014/kfood/kfood-
view.view?foodCd=121423

5 <허시명의 우리술 이야기> (47) '가양주' 슈퍼스타K, 경향신문,
https://m.khan.co.kr/life/life-general/article/201011212130055#c2b

6 <막걸리, 세계인의 술로/1부> <4>막걸리 맛 결정짓는 테루아가 있다. 동아일보,
https://www.donga.com/news/article/all/20100219/26276580/1

7 <찹쌀은 우리술에 어떤 영향을 주었을까> 한국가양주연구소 전통주 카페 류인
수 소장 기고문

8 <한국 전통주 교과서> 2. 누룩편, 06 누룩의 777 법칙 장 참고

9 <전통누룩학교> 발효아카데미센터, https://cafe.naver.com/enzymeschool

10 <박순욱의 술기행> (16) "전통누룩 제대로 쓰지 않은 술은 우리 술 아니죠", 조
선비즈,
https://biz.chosun.com/site/data/html_dir/2020/01/03/2020010301817.html

11 <음성 인삼 및 복숭아를 이용한 가양주 제법 개발 사업> 결과 보고서

12 <산가요록> 연화주법, https://www.koreantk.com/ktkp2014/kfood/kfood-
view.view?foodCd=125014

13 <박순욱의 술기행> (40) 전통주에 반해 대학교수 자리를 차버린 남자, 조선비
즈, https://biz.chosun.com/site/data/html_dir/2020/12/14/2020121401767.html

14 <무즙의 당화효소를 이용한 전분질 원료의 주류 및 제조> 출원번호: 10-2005-
0059644

15 <박순욱의 술기행> (73) "좋은 누룩이 좋은 술을 만든다." 입증한 한영석 청명주, 조선비즈,
https://biz.chosun.com/distribution/food/2022/04/27/EWS3YSDEQVHXLNMAP4MJY2GAGM/

16 <사케를 읽다> 기미지마 사토시 감수 / 이윤 역, 시그마북스, 2013년 1월

17 <커피잔 색깔, 맛도 달라진다. 베스트 컬러는?> 헤럴드경제,
http://mbiz.heraldcorp.com/view.php?ud=20150319000384

18 <한국 전통주 교과서> 1. 이론편, 21 관능평가 장 참고

19 <향미와 안정성이 향상된 쌀발효주의 제조방법> 특허 KR101556566B1, 발명자: 신우창, 송숙희, 권희숙,
https://patents.google.com/patent/KR101556566B1/ko

20 <VI.양조의 실제 8.전통주 여과와 숙성> 골짝나라 연구소 블로그,
https://blog.naver.com/namooljoa/221312440596

21 <다시쓰는 주방문> 박록담 저, 코리아쇼케이스, 2005년 8월

22 <산미료 역할> 최낙언의 자료 보관소,
http://www.seehint.com/word.asp?no=13833

23 <토요 인터뷰> 티에라 바세, 181년 역사 프랑스 겔랑의 '최고 조향사', The JoongAng, https://www.joongang.co.kr/article/3939477#home

24 <전통주 장인열전 12> 강남 한복판에 '형형색색 막걸리' 양조장 만든 <최영은 C막걸리 대표>, 더농부 장인열전, https://blog.naver.com/nong-up/222364227403

25 <박순욱의 술기행> (26) "후추, 생각 넣은 막걸리 맛, 궁금하지 않나요?", 조선비즈,
https://biz.chosun.com/site/data/html_dir/2020/05/15/2020051502755.html

26 <김형규 기자의 한국술도가> 맥주 같기도 와인 같기도 한 막걸리…… 20대 사장의 '전통주 혁신' 선보이는 DOK 브루어리, 경향신문,
https://m.khan.co.kr/travel/national/article/202002281641015#c2b